Os Anjos: Espíritos Protetores

Penny McLean

Os Anjos: Espíritos Protetores

Tradução
FERNANDO PEDROZA DE MATTOS

EDITORA PENSAMENTO
São Paulo

Título do original:
Zeugnisse von Schutzgeistern

Edição	Ano
·2-3-4-5-6-7-8-9-10	92-93-94-95-96-97

Impresso em nossas oficinas gráficas.

Sumário

Introdução 7
O Grupo 19
O Eu, o Tu, a Comunidade e a Perfeição 27
A Oração e a Palavra 31
O Registro Akasha 37
Reencarnação e Carma 43
Sexo, Eros e Ágape: O Caminho para um Amor
Perfeito 51
Aptidões, Talentos e o Dever de Reconhecê-los 67
Adoecer e Ser Saudável 75
Alimentação e Preparo Físico 83
Os Abusos e a Necessidade do Pensamento Positivo 89
Anjos e Espíritos Protetores: Quem São e Como Agem . 95
Os Animais: Nossos Companheiros e Nossos Mestres 103
Nossos Protetores do Espaço 113
Leitura Recomendada 127

Introdução

Quando terminei meu primeiro livro, no verão de 1988, sobre contatos com seres invisíveis, não tinha a menor idéia sobre o que iriam gerar minhas reflexões, experiências e realizações nessa área.

Os contatos foram, para muitos, a própria salvação, pois haviam experimentado algo semelhante, mas não se atreveram a passar adiante a experiência, talvez por medo de serem tidos como perturbados ou, simplesmente, "malucos". Reconheço que é preciso muita coragem para superar o bloqueio que se impõe quando alguém duvida de nós.

Quanto a mim, tive menos dificuldade com relação a isso, pois tive a chance de trabalhar com a ajuda de energias espirituais de uma outra dimensão, podendo apresentar os "sucessos" que obtive, o que me facilitou a discussão sobre o assunto e, principalmente, mostrou-me que eu estava errada ao superestimar meus dotes espirituais.

Infelizmente, na nossa sociedade, mantém-se a postura de que é preciso provar tudo aquilo em que acreditamos e que a valorização do espírito humano é mera casualidade no âmbito das Ciências naturais.

Novamente sou atingida pela discussão provocada entre os esotéricos, espiritualistas e os ditos representantes da "ciência pura" — por mero desconhecimento recíproco do assunto. Tenho visto como os físicos, os químicos, os antropólogos, os matemáticos, etc., têm-se indisposto com os astrólogos, os radiestesistas, os médiuns e os parapsicólogos, o que se tornava ainda mais estranho e intolerável, posto que falavam exatamente sobre as mesmas coisas e, inflamados pela própria intolerância, discutiam sobre a ocorrência de fatos que, até hoje, não foram contestados.

Nunca me esqueço de um programa de televisão na Bavária no qual se discutia "se os astros mentiam" e debatia-se com igual vigor sobre se a Lua exercia algum tipo de influência nos homens. Nada tenho a dizer a respeito do programa, do qual tive apenas o desprazer de participar como espectadora. Um adepto do esoterismo VIVE o ensinamento oculto, cujo princípio fundamental é o amor e a consideração ao semelhante. Dirigindo-se ao "apresentador", que se encontra num nível em que essas leis ainda não foram assimiladas, os conceitos verdadeiros do esotérico parecerão não ter valor, visto que ele evitará correr o risco de se lançar a um nível inferior, o que poderia prejudicar a supremacia dos seus preceitos.

Admiro todos aqueles que demonstram a paz respeitável e jovial de um mestre iniciado, em qualquer situação. Eu não tenho essa paz, assim como estou bem longe de me considerar uma iniciada, pelo que me pareceu. Não só durante os programas, quando o meu bondoso Anjo tem de fazer um esforço tremendo para me manter sentada, sendo que às vezes precisa tomar atitudes drásticas nesse sentido. Isso acontece, por exemplo, num desses programas de debate na televisão no norte da Alemanha, quando depois da primeira pergunta do mediador, sinto-me pesada como chumbo. Quando hoje assisto à transmissão de um desses programas, ainda me admiro do êxito que tive, falando pelos cotovelos, tendo que lidar com tipos de personalidades completamente diferentes. Mesmo nessas circunstâncias, me parece que essa atividade foi útil.

De qualquer maneira, esses programas relativamente bem-feitos conquistaram a atenção de pessoas que, ou já se haviam encaminhado há muito tempo ou que já estavam maduras o suficiente para dar o primeiro passo nessa área.

Esse foi o lado bom da história.

Menos agradáveis foram as verdadeiras montanhas de cartas que despencaram sobre mim, repletas de perguntas, pedindo conselhos e relatando experiências pessoais.

Depois da qüinquagésima carta, eu disse a mim mesma que não fazia o menor sentido escrever a mesma coisa pela qüinquagésima vez numa simples carta. Por esse motivo, e depois de superar minha aversão pela datilografia, resolvi fornecer as informações "ainda não reveladas" neste volume, respondendo às perguntas, digo, a tudo aquilo que não foi desenvolvido no meu primeiro "livro-contato".

Algumas idéias, com as quais eu já estava familiarizada há muito tempo, merecem, por exemplo, uma explicação mais detalhada, pois aprendi através de meus leitores que o uso fluente de certos termos levava a uma dificuldade de interpretação.

Fiquei muito feliz e surpresa pelo grande interesse demonstrado face às comunicações espirituais que estabeleci com o mundo invisível, sobretudo com Rudolf Steiner, sendo que as perguntas se concentraram basicamente na Cultura e na Forma dos "Grupos".

Fui buscar em todos os meus apontamentos e documentos o material de trabalho de que se constituirá praticamente este livro.

Tive que aperfeiçoar algumas informações que adquiri através do estudo de temas específicos, principalmente no que diz respeito à genética e ao cérebro humano.

Esse tipo de literatura específica encontra-se, como sempre, no final do livro como "leitura recomendada", onde procurei indicar livros acessíveis e de fácil compreensão.

Eu gostaria de deixar claro que, para mim, trata-se em primeiro lugar da ampliação da sua consciência e não de uma publicação espetacular sobre "Mensagens da Quarta Dimensão". A existência de qualquer energia espiritual pode ajudar-nos muito pouco se não soubermos como aplicá-la ou transformá-la.

Nas cartas que recebi, há uma infinidade de histórias sobre Anjos da Guarda, com as quais eu poderia compor um outro livro e que são igualmente muito interessantes. Contudo, decidi recorrer a esses relatos somente em alguns casos, pois acredito que o aprendizado obtido através de simples histórias torna-se muito maior quando os vivenciamos a partir da própria experiência. Deixo, portanto, a parte referente aos relatos aos cuidados do meu caro amigo Rainer Holbe que, segundo ele me disse, ficaria satifeito com a publicação de um novo livro de temática semelhante ainda nesse ano.

Existem logicamente alguns comentários e reflexões com respeito aos contatos que fiz e sobre as instruções que recebi. Eles foram redigidos de uma forma acessível e são de fácil compreensão.

Este livro irá tratar de um assunto que, certamente, provocará suspiros em muitos de vocês: extraterrestres ou, numa linguagem mais elaborada, visitantes extraterrenos. Trabalho há muito tempo com esses fenômenos, mas sempre questionando se por trás dessas visões, raptos e aparições atribuídos a OVNIS, não existe uma fantasia coletiva por parte das pessoas. Um dia, então, tive o grande prazer de ouvir um relato bem fundamentado, acompanhado de excelente material fotográfico, que desmoronou toda a opinião cautelosa que eu tinha a respeito do assunto. Mais adiante discorrerei mais detalhadamente sobre isso. Posso antecipar uma coisa: talvez seja preciso nos acostumarmos com a idéia de que nossos prestimosos Espíritos Protetores vêm, não somente da quarta dimensão, mas do espaço superior.

Perguntaram-me centenas de vezes como eu tive a idéia de escrever um livro sobre contatos com Espíritos Protetores.

Foi uma pergunta fácil de responder: a idéia não foi minha. Há dois anos, numa exposição esotérica realizada em Munique, falei sobre Carma e Reencarnação e, a propósito desse tema, discorri sobre alguns aspectos da energia espiritual. O interesse crescente de todos era demonstrado quase fisicamente. Quando terminei, veio um casal e perguntou-me se eu não poderia fazer uma conferência *somente* sobre esse tema, pedido que imediatamente foi corroborado pelos dos outros presentes. Antigamente, eu costumava dizer que ainda não conseguia compreender o assunto de uma forma mais ampla, e que precisaria, antes de mais nada, aprofundar-me um pouco mais nessa área. Fui para casa e percebi que me havia sido lançada uma semente de talento para escritora, que começou a germinar dia a dia e me levou a trabalhar cada vez mais sobre o tema. Então eu comecei...

Eu não havia refletido sobre a "atualidade" do assunto ou sobre o que ainda não havia sido publicado no que tange ao campo esotérico. Ao contrário, escrevi baseando-me nas perguntas que me haviam sido feitas e no meu impulso interior. Achei que outras pessoas, além daquelas presentes às exposições, poderiam interessar-se pelo assunto, mas nunca imaginei que "essas outras pessoas" serviam milhares de pessoas. Aos poucos começo a ter idéia do que Steiner quis dizer quando falou: "Você precisa contribuir para a coesão do grupo."

Em várias cartas que recebi havia também documentos, manuscritos relatando contatos com outros mundos, do período de 1973-75. Eles me enviaram esse material, pois também haviam estado em contato com Rudolf Steiner, ou com quaisquer outras entidades desencarnadas do seu grupo. As comunicações que eles fizeram foram do mesmo tipo das que eu fiz, até mesmo o que foi dito. É surpreendente (ou lógico?) que "grupos" sérios proliferem por toda a Alemanha, onde se torna cada vez mais evidente que os participantes que tiveram algum tipo de contato raríssimas vezes se conheciam. Certamente eles passaram pelo mesmo tipo de experiência que eu: eu não tinha noção de que esse milagre poderia ter acontecido a alguma outra pessoa.

Todos aqueles que tiveram contato com fatos ocultos semelhantes hão de concordar comigo que, no início, ficamos tão fascinados e impressionados, que mantemos discrição a respeito, em vez de sair bradando aos quatro ventos o que acabamos de experimentar. Quanto mais claro e sensível é o contato espiritual, mais sentimos que devemos manter sigilo e respeito com relação a ele.

Sempre tive a convicção de que o tempo seria a medida correta para a apreensão do conhecimento que me foi proporcionado e que o interesse, crescente e constante, comprovam tal suposição.

De tempos em tempos, tenho sido convidada para participar de certos congressos e constatado, com certo incômodo e vergonha, como os "iluminados" falam mal uns dos outros e como conferem a si o direito de anunciarem suas verdades únicas e incontestáveis, enquanto todos os demais não passam de "pobres desorientados" e "possuídos por Satã". Essa mentalidade estimula o ânimo do grupo de forma arrebatadora, pois eles acreditam estar em contato com o "Chefe da Frota Espacial, conhecido como Ashtar". Não fosse tão triste observar como homens preocupados em atingir, à sua maneira, uma ampliação da consciência que torna, ao contrário, suas vidas mais difíceis, poderíamos até rir de toda essa hostilização mútua. Na minha opinião, essa miséria é gerada pelo fato de que todo aquele que consegue fazer algum tipo de contato com algum ser extraterreno é considerado um privilegiado. Esta é uma concepção tão presunçosa quanto dizer que os universitários são as melhores pessoas da nossa sociedade.

O contato com o além é acessível *a todos*. A questão é saber se existe disposição e maturidade necessárias para empreender a tarefa. A capacidade para tal, mesmo que adormecida, existe em cada um de nós. A discussão sobre se os contatos do Senhor X são mais valiosos que os da Senhora Y, porque o Senhor X lidou somente com "espíritos bons", é tão improdutiva quanto discutir se o professor X da Faculdade Einstein é melhor que o dr. professor Y da Escola Schiller.

É verdade que, numa determinada época, todos nós devemos fazer um vestibular, sendo que a escolha da carreira a seguir cabe a cada um de nós. Vários caminhos levam a Roma, mas a beleza e o valor da nossa descoberta residem na forma como nós a executamos. Acho que deveríamos ser um pouco mais tolerantes uns com os outros, pois sobre esse princípio repousa um dos Mandamentos: "Ama o Teu Próximo."

Mais adiante, no capítulo concernente, retomarei a questão de forma mais detalhada sobre o que é um bom e um mau espírito; nele, eu gostaria de adiantar, minha conduta com relação aos conceitos de polaridade mostram-se um pouco diferente das habituais. Estamos perfeitamente aptos a reconhecer essa distinção entre "bom" e "ruim", em se tratando de nossos semelhantes na Terra. A expressão do rosto, a linguagem do corpo, a voz e o olhar, as atitudes e os conceitos das pessoas, conferem-nos uma imagem clara da personalidade com quem estamos lidando. Para ser mais clara, quanto mais pudermos dividir experiências com os habitantes do nosso planeta, e quanto mais oportunidades tivermos para fazê-lo, tornamo-nos mais aptos para compreender e assimilar essa experiência.

O mesmo acontece nos limites das Entidades invisíveis: devemos aprender a nos relacionar com elas, precisamos assimilar experiências, a fim de que possamos discernir se devemos dispensar tanta atenção a uma determinada pessoa que conhecemos, ou se ela nos parece desagradável e, por isso, seria melhor evitá-la. É válido o ditado "Os semelhantes se atraem", porém devemos nos acautelar com relação à atribuição de valores. É impossível que aquela entidade, vinda dc uma dimensão invisível e que hoje é o "sr. Presidente", somente pela posição que ocupa, seja mais importante e tenha maior poder de decisão, a princípio, do que uma "simples dona de casa". São a maturidade, o caráter, a capacidade de aprendizado e a disposição espiritual de um homem que o qualificam como tal e não sua aparência externa.

Um exemplo melhor para ilustrar o que acabo de expor é o de uma dona de casa de Hamburgo que pertencia ao famoso UFO-Kreis* dessa cidade e que um dia, exatamente o dia 4 de julho de 1961, começou repentinamente a receber mensagens do espaço, provenientes dos "Irmãos mais Velhos", segundo a sua descrição, habitantes de um planeta distante. Esses registros foram catalogados como "Livros Azuis" e publicados, mas muito pouco divulgados. Posso afirmar que a leitura desses documentos pode ser de grande benefício se o leitor estiver realmente disposto a assimilar seu conteúdo, posto que são de forte valor espiritual e pertencem a um grau de compreensão benfazeja.

Essa senhora, assim como eu, não exige qualquer menção ao Prêmio Nobel de Literatura. Também não se espera qualquer

---

* Literalmente: Grupo do UFO (N.T.).

crítica construtiva do sr. Reich-Ranicki. Tratamos aqui de transmitir idéias ou, como eu já havia frisado no meu livro mais recente, conceitos, que também podem ser de interesse e valor para outros.

Eu gostaria de esclarecer mais uma coisa: não sou guru nem iluminada. Somente me aprofundei um pouco mais nos temas e ensinamentos esotéricos do que a maioria. Sou como aquela professora de canto que dava aulas maravilhosas, mas cujo canto não fazia muito sentido aos ouvidos. Vivo igual a todo mundo: a gente tenta, cai, torna a levantar, vence, fica feliz, se decepciona e estuda, estuda, estuda...

A respeito dos privilegiados: ultimamente, temos ouvido muito sobre a Atlântida e sobre o nascimento de um grande número de pessoas que lá habitavam. Seria uma teoria profícua e agradável, não fosse o fato de ter-se tornado excessiva. O fato é apresentado como se fosse algo de muito importante ter sido um cidadão ou cidadã atlante. A todos aqueles que partilham dessa maneira de pensar, devo advertir que os atlantes pertenceram a raças ancestrais da humanidade e que teria sido melhor não ter pertencido a ela.

Vou discorrer mais amiúde sobre a Atlântida e seus habitantes, porém quis deixar esse ponto bem claro.

Ouve-se cada vez com maior freqüência que as pessoas nascidas desde 1940 até hoje, possuidoras de pele e olhos claros, e cabelos cuja cor vai do ruivo ao louro-claro, são as únicas cidadãs atlantes autênticas renascidas que se orgulham de aparecer como tais. Os atlantes nasceram e vão continuar a nascer. O que é interessante é a miscigenação dos cidadãos atlantes encarnados agora, pois essas pessoas eram as únicas que antigamente dominavam o pensamento lógico baseado na estrita ligação das Leis da Terra e do Cosmos. Os primeiros cidadãos atlantes estavam voltados exatamente para a ampliação do pensamento, numa fase de desenvolvimento que, comparada às possibilidades de utilização do cérebro de que dispomos hoje, era muito inferior. Os "poderosos" da Atlântida eram os iniciados cuja estirpe era venerada como deuses, o que podemos compreender agora pelos seus descendentes. As encarnações desses iniciados e seus descendentes diretos, esses sim, são os verdadeiros privilegiados. Estes também têm a característica comum de pertencerem à mesma corrente. Por esse motivo, é inútil discutir sobre o assunto — a quem isso viria ajudar? Deveríamos retomar o pensamento de que essas pessoas teriam sido especiais na medida em que suas capacidades, que constituíam um privilégio, atingiram um desenvolvimento completo e contribuem para o bem da humanidade.

Notem, portanto, que a palavra "privilégio" é apenas um sinônimo de consciência dos próprios deveres, humildade, amor ao próximo e senso de responsabilidade. Assim como eu, será bem-vindo a esse Grupo de Interesses Comuns, segundo ouvi de uma fonte fidedigna, todo aquele que desejar submeter-se à árdua tarefa de promover a ampliação da consciência e o seu aperfeiçoamento em prol da humanidade. Portanto: ao trabalho e *welcome to the club!* A Atlântida somos *nós*!

Refleti sobre a maneira mais adequada de como iria enfrentar a enormidade de perguntas dos leitores e daqueles que me enviaram cartas, decidindo-me por ordená-las segundo a temática. Assim você poderá escolher o assunto de acordo com o seu gosto pela matéria em que estiver mais interessado no momento, sem que seja obrigado a continuar até o final do livro. Depois da leitura e de uma releitura (assim espero!), você vai achar mais fácil o assunto.

Alguns informantes deram os nomes, ao contrário de outros que preferiram permanecer apenas como pertencentes ao "Grupo" e, em certas ocasiões, contribuíram de forma tão produtiva para o esclarecimento de algumas questões, que me pareceu adequado abandonar o costume de me dirigir somente àquelas entidades que se manisfestavam identificando-se nominalmente.

Não citarei o nome do meu informante principal, visto que não está morto há muito tempo e todo o seu Trabalho ainda está em processo de edição. Ajo assim, pois, não quero lamentar as conseqüências, como aconteceu com o casal austríaco Coudris, que manteve contatos com C. G. Jung, publicou o conteúdo dos mesmos e teve de enfrentar problemas com o proprietário dos direitos de edição. Não acredito, contudo, que as pessoas especializadas tenham qualquer dificuldade em coordenar aquilo que foi escrito. O importante é saber se, no íntimo, elas aceitam aquilo que foi dito, pois trazemos no nosso interior o Conhecimento Universal, bem como as respostas a todas as perguntas. Não é preciso rotular o Conhecimento nem explicá-lo com termos rebuscados.

Naturalmente, aprimorei a linguagem das mensagens, pois os relatórios não estão sob a forma de perguntas e respostas, mesmo onde elas ocorrem, visto que procurei evitar essa forma. O motivo disso é que a maioria dos contatos aconteceu numa época em que meu conhecimento teórico não estava muito desenvolvido, o que me levou, algumas vezes, a pedir informações quando eu não conseguia entender o que fora dito, chegando finalmente à compreensão. A estrutura das declarações foi estritamente mantida, até mesmo a forma da 2ª pessoa do singular (tu), pela qual eu fui tratada.

Assim, antes de começar, eu gostaria de agradecer a todos os que me ajudaram. Pessoas absolutamente desconhecidas escreveram-me cartas altamente estimulantes e comoventes, que me deram força, estimularam e confirmaram a sua solidariedade. Há ainda o meu círculo de amigos mais próximos; meus familiares, a quem devo meus agradecimenos por terem me dado total apoio. Obrigada a todos vocês.

A Primeira Mensagem, 1971

Minha doce criança, isso não será fácil para ti, pois estarás muito ocupada e, através dessas provas, não poderás perder a tua fé, não poderás negar o teu conhecimento.

Nunca te esqueças que estamos sempre ao teu lado e que estás sempre ligada e unida a nós.

Somos uma forma de Poder cuja energia é suprema e tu vieste de nós.

Portanto, não tenhas medo, pois somente ele poderá atrapalhar o nosso contato e até mesmo interrompê-lo.

Sê feliz e não temas; estaremos ao teu lado.

O Grupo

Perguntaste o que eu queria dizer com "nosso grupo". Eu respondi que sou o chefe do grupo.

Isso significa que, dentro do conglomerado de energia, eu disponho de uma parte em potencial que me permite exercer influência sobre o desenvolvimento de toda forma de energia de maneira incomensurável. Este é o resultado do êxito obtido, durante milhares de anos, de um processo de amadurecimento.

É um erro aceitar que todos os homens encarnados no vosso planeta provêm de um mesmo potencial de energia.

Existem tantas pré-histórias quanto o número de impressões digitais. Alguns de vós já estiveram no planeta a que dais o nome de Terra; outros lá estão pela primeira vez, enquanto, por outro lado, alguns são convivas voluntários da vossa existência mundana. Disso resulta que existem várias categorias energéticas, as quais são comparáveis a vibrações anímico-espirituais.

Todavia, isso não significa que todos os que descendem do mesmo potencial se encontram no mesmo nível de conhecimento ou têm a mesma opinião. Entretanto, quando se encontram, sentem uma atração inexplicável. É possível que isso não resulte numa amizade ou numa intimidade amorosa, mas reforça de maneira inimaginável o sentimento de comunidade, um fator de extrema importância social.

Nem todos aqueles por quem te sentes atraída nós classificamos como parceiros do teu grupo. Há vários grupos que assemelham-se, em muito, na sua vibração. Tu dirias: eles são amigos.

Nesses grupos, domina uma ordem hierárquica que resulta da maturidade, assim como da disposição de seus membros.

Infelizmente, é impossível esclarecer-te alguns conceitos da nossa dimensão, posto que não nos sujeitamos à matéria, tampouco dispomos de uma linguagem acessível à vossa compreensão, da mesma forma que não estamos ligados ao vosso conceito de tempo ou, como poderias dizer, estamos livres desse conceito.

Não precisamos do tempo, pois como disse antes, não estamos ligados à matéria.

Talvez possas compreender melhor se imaginares o tempo como uma espiral gigantesca, em constante rotação. Se estiveres numa posição exterior, poderás constatar com clareza o movimento da espiral; se estás no centro, porém, podes perceber que algo se movimenta, mas que não envolve a ti. Observando dessa maneira, tu estás na periferia e eu estou no centro, em repouso.

Os membros de um grupo nunca encarnam todos ao mesmo tempo, nem permanecem encarnados pelo mesmo período.

No momento, há 318 membros do nosso grupo no planeta Terra como seres humanos. Essa cifra oscila, naturalmente, a cada dia, para mais ou para menos. Os recém-nascidos aliam-se e um dia regressam, deixando o planeta Terra que lhes serviu de morada e escola.

Sim, haveria a possibilidade de constatar a coexistência de membros do mesmo grupo e de sua afinidade. Uma possibilidade seria a partir da leitura de um cosmograma astrológico; a outra seria pela decifração do código genético individual, que contém a hélice. Esse mistério que, contudo, está longe de ser revelado, infelizmente será descoberto e, novamente, pelos caminhos do abuso.

O abuso consiste no desrespeito pelas Leis Universais. Dentro de dez anos, hás de compreender melhor o que estou dizendo, principalmente se te ocupares do tema da Genética.

Nem todos os membros do grupo encarnam para tornarem tua vida mais fácil, falando de maneira geral. Tu te alias a vários deles num destino pessoal, o que também está relacionado com o carma, de forma que teu encontro com os membros do grupo nem sempre será de completa alegria, porém o valor do aprendizado será sempre inestimável.

Naturalmente, membros de um mesmo grupo podem se casar, às vezes, em suas encarnações terrenas. Mas essa não é a regra. Isso seria, com certeza, muito fácil para os participantes, mas tu te esqueces do livre-arbítrio.

Cada escolha de um companheiro também é uma prova. Já o percebeste e, no futuro, perceberás ainda mais (Meu Deus, como ele tinha razão!).

Tens amigos fiéis ao teu lado que descendem, todos, do nosso grupo e que permanecerão contigo, por enquanto, durante o teu desenvolvimento.

É evidente que certos pais podem ter filhos que descendam de um grupo diferente do deles, haja vista o fato de que a mãe e o pai pertencem, via de regra, a grupos diferentes. Nesse caso, entram em ação outras leis superiores. Determinada alma, independentemente do grupo de que descende, escolhe os seus pais segundo critérios relacionados com a possibilidade de garantir a realização plena de seus objetivos espirituais, psíquicos e corporais. A origem permanece imutável depois do nascimento.

Sim, é possível que a origem seja modificada, isto é, que o grupo seja trocado. Isso também está relacionado com o livre-arbítrio.

Cada grupo tem uma vibração básica; talvez entendas melhor se eu disser que cada grupo estabelece uma exigência mínima para seus membros. Se eles forem atingidos de uma forma negativa, pode acontecer a mudança para um grupo com uma vibração correspondente àquela que ora se manifesta. Isso não é um castigo; apenas uma desarticulação evidente e previdente.

Também pode acontecer a expansão do limite hierárquico num grupo, ocorrendo assim a sua desarticulação... Eles formam, outra vez, um novo grupo, cujo potencial de energia é mais denso do que a concentração do grupo do qual eles vieram. Isso também consiste numa forma daquilo a que vós daríeis o nome de evolução.

Eu não sou o único chefe de grupo na nossa comunidade. O termo "chefe de grupo" também é um termo que se ajusta muito bem à tua linguagem. Sim, se assim o desejares, é semelhante ao cargo de um ministro no teu sistema político. Se não tivesses coibido tão veementemente tua compreensão das ciências naturais, como a química e a física (Ele foi muito gentil, pois fui a catástrofe da escola!), terias condição de compreender melhor as explicações dessa natureza, assim como poderias obter um conceito mais amplo sobre a formação do grupo e sobre a minha posição nele.

Assim, o que está do lado de fora, está no interior; o que existe no grande, também existe nos menores, e tudo o que é invisível também tem sua correspondência no que é visível. A lei da energia universal atua sobre todas as coisas.

Todo grupo tem seu potencial de conhecimento e de maturidade, do que poderás ocupar-te quando estiverdes apta a isso. Quanto mais instruíres e aperfeiçoares tua consciência, mais apta estarás para te engajares nesse potencial. Quanto mais te aproximares da vibração do ideal do grupo, mais perfeita transcorrerá a comunicação.

Um bom recurso é, por exemplo, a meditação. Também é muito importante que mantenhas os teus chacras em harmonia e os conserves em ordem.

Pertence ao processo de amadurecimento conduzir as energias que fluem pelo teu corpo pelas vias corretas, assim como empregá-las e valorizá-las.

Naturalmente, isso também está relacionado com os sentimentos.

Para nós, um dos maiores fatores de união entre vós é o sentimento do amor. Não somente o amor individual, mas o amor amplo, universal, o amor ao próximo. Na medida em que permitires que sentimentos como o ódio, a vingança, a inveja e a cobiça se aproximem de ti estarás interferindo na suscetibilidade do fluxo de energia que enviamos a ti.

Controla-te diariamente.

É claro que não poderás amar a todos da noite para o dia, mas tenta ao menos compreendê-los. Talvez torne-se mais fácil para ti ser mais tolerante.

Pensa sempre que te amamos muito e que transmitimos continuamente esse amor a ti.

Nada precisas fazer, além de senti-lo, reconhecê-lo e distribuí-lo.

Infelizmente, existem grupos hostis.

São grupos que se associaram a poderes sombrios e que sempre tentam prejudicar os membros dos grupos que buscam a luz, procurando permanecer ao teu lado.

Desses lugares vêm também os opressores. Não aqueles fiscalizadores amorosos, de que já falamos (retomarei o assunto no capítulo sobre Anjos e Espíritos Protetores, de Ajuda e da Natureza), mas são opressores cuja alegria consiste em ver as falhas e o desespero dos homens.

Enobrece o teu caráter através do controle de teus pensamentos e atitudes. Esta é a melhor proteção contra essas entidades. Para eles é um verdadeiro horror o homem que busca desesperadamente o caminho da luz.

Essas entidades também estão encarnadas. Elas são, geralmente, de aparência deslumbrante e de uma inteligência brilhante. Freqüentemente, encontram-se em posição de destaque na cultura, na economia, na ciência e na política. São utilizadas, via de regra, por entidades superiores para a provação de todo um povo. O perigo consiste no fato de que elas utilizam as idéias mais nobres da humanidade de um forma errada, em prol de si mesmas, muitas vezes até compelidas inconscientemente por um poder sombrio mais forte.

Pensa em Hitler.

Depende de vós repetir a falha. Deveríeis deixar bem claro a vossa origem.

Transmite o nosso contato ao teu grupo. Já te indiquei a maneira de fazê-lo.

O grupo precisa dispersar-se agora e juntar-se aos membros de outros grupos amigos.

Cada um de vós deve colaborar para esse fim.

É a palavra que revela a origem. Se tiveres ouvidos para a verdade, ela se disseminará por si própria.

Sabemos que ainda estás longe da perfeição, mas estamos ao teu lado, para auxiliar-te e confortar-te.

Portanto, não tenhas medo. Ama!

Todas essas mensagens foram proferidas, como eu já havia dito antes, de uma forma pouco fluente e não muito compreensível e, naturalmente, não ocorreram numa só tarde. De vários fragmentos que revi, o conteúdo foi exatamente o mesmo que acabamos de expor.

Retomei os apontamentos nos anos que se seguiram e os reli atentamente e, com um amadurecimento crescente, conseguia compreendê-los cada vez melhor.

Tentei, mais tarde, retomar algumas questões pertinentes, na ocasião em que o informante — um político oriental falecido há pouco tempo e de elevada categoria espiritual — apresentou-se como meu pai numa encarnação em que eu fora inglesa.

Muitas das mensagens ocorreram nessa época, — ou seja, nos anos 80 — com tanta freqüência que as informações "entravam-me direto no cérebro". Eu fazia as perguntas e somente depois da confirmação, da posterior correção e aprimoramento do texto eu as redigia. Procedi da mesma forma com relação aos comentários e conclusões.

Naturalmente muitas perguntas permaneceram em aberto ou não foram respondidas de forma clara, a ponto de eu ousar apresentar minhas conclusões como mensagens completas.

Perguntei outra vez: "Como nos tornamos membro de um grupo?" Como resposta ouvi: "A filiação resulta do livre-arbítrio." Eu gostaria de poder considerar que as vibrações energéticas de um grupo atuam de forma atrativa ou repulsiva, numa determinada existência. Assim como, na Terra, podemos aderir a diversas correntes, parece-me que no Além é válida a lei "Os semelhantes se atraem".

É inquestionável que os membros dos grupos encarnam sob as mais diversas formas, em vários planetas e, sobretudo, não somente com o objetivo de dar prosseguimento à auto-evolução, com o objetivo de fomentar o potencial de conhecimento e experiência de todo o grupo.

Sei que devo continuar minhas tentativas no sentido de interpretar os fatos, apesar da minha dificuldade, pois numa ocasião em que pensei em abandonar tudo fui seriamente advertida. Foi-me dito que uma tal desculpa de minha parte "diminuiria a qualidade de todo o grupo". Quando refletimos mais demoradamente sobre essas declarações, a palavra "responsabilidade" adquire um sabor estranhamente ameaçador, pois tudo, realmente tudo o que eu faço e penso exerce uma influência direta e perfeitamente visível sobre todos os que estão próximos na comunidade.

O conhecido "pensamento positivo" assume, sob esse aspecto, uma aparência bem diferente e de interesse coletivo.

Quando muda o chefe de um grupo, seja por motivos evolutivos ou por uma reencarnação, a modificação é sensível a todo grupo, fato que eu mesma experimentei (pressenti).

Quando o chefe do meu grupo, em 1976, começou a preparar seu renascimento, já era visível nessa fase de preparação — permitam-me dizer — o tipo de mudança que iria ocorrer. Ele tornou-se austero. Não que tivesse ficado menos bondoso, mas de uma bondade austera. Não compete a mim qualquer crítica, mas nada de que eu me lembre sobre a minha vida de outrora ajudou-me tanto quanto essa tranformação. Eu tinha a sensação de que o meu novo chefe de grupo seria alguém que não mais teria que agüentar uma encarnação nesta Terra. Tudo se transformou em expansão, desenvolvimento (não um qualquer) e amadurecimento espirituais. Minhas tímidas objeções com relação a não existir somente como espírito, mas com um corpo e todas as suas necessidades, foram categoricamente ignoradas. Tudo isso mudou de aspecto, repentinamente, quando meu "pai inglês" surgiu.

Ninguém pode me dizer que esses Chefes de Grupo são oniscientes. Às vezes eu me sentia como na política: nem sempre o que está em destaque é o *non plus ultra*. Às vezes, parece que as ofertas do outro lado são meio pobres. Sobretudo quando entidades superiores se desligavam do seu grupo para encarnarem voluntariamente. Porquanto abençoados e prestimosos, podem agir no plano material — ocorreu-me que seria melhor que os nobres mestres ficassem, às vezes, "do lado de lá".

Um mestre não pode ser tão nobre, pois os homens não conseguem atingir esse estágio maltratando as pessoas.

O melhor exemplo é o de Jesus Cristo. Quando penso em que consistia a mensagem desse gigante e o que certas instituições tiveram a audácia de fazer para defender seus interesses, utilizando a mensagem do nosso Cristo, tenho vontade de subir nas paredes.

Quanto ao fato de gostar ou não do sr. Qualtinger (eu gostava muito dele), sei que ele às vezes dizia coisas inteligentes que abalavam a opinião das pessoas, como por exemplo, numa palestra que ele proferiu em Hamburgo quando afirmou (suando pelo envolvimento que sabia estar manifestando): "Quem acredita em Deus não precisa de religião." (Em certas expressões, o idioma vienense exerce um impacto especial; por isso resolvi deixar em sua forma original.)* Quanto mais refletimos sobre essas palavras, que a princípio parecem tão simples, mais poderosa se torna a declaração, assim como seu teor de verdade. Seria como perguntar: "Será que Deus considera necessário aquilo que conhecemos por religião?"

Apesar de dispor de documentação, vou retomar esse assunto, só de passagem, no capítulo "A Oração" e, também reconheço o motivo disso: sou muito covarde. O fato é que tudo o que se lê nos meus escritos sobre organizações religiosas, mesmo na capa, foi conseguido por mim mesma pois, como tenho divulgado, não sou filiada a nenhuma dessas instituições de porte. Prefiro esperar um pouco mais, até que o tempo se torne adequado e as coisas se tornem mais evidentes. Poderei, então, com muito prazer, divulgar também essa documentação.

Vamos discorrer sobre um tema, agora, que deverá nos interessar ainda mais.

---

* No original: "Wer an Gott glaubt, braucht ka Religion" (N.T.).

O Eu, o Tu, a Comunidade e a Perfeição*

Vieste da Onisciência e a ela retornarás.

A Onisciência está na Perfeição; a Perfeição é onisciente.

A Perfeição é o núcleo cósmico primordial a que pertencem todos os planos do Universo, o saber primordial, mas também a ânsia por uma perfeição maior, pois tudo o que existe pode aumentar ou diminuir.

A perfeição abrange o plano da criação material, assim como a imagem sublime de todas as formas espirituais.

Assim como as menores porções existentes conhecidas por vós como partículas, podem se modificar, toda a perfeição universal pode ser modificada, não na sua essência, mas na sua forma.

É um erro afirmar que o negativo é ruim e que o positivo é bom. Ambos são partes em equilíbrio, que dão origem ao perfeito.

O poder universal, a que dais o nome de Deus, consiste em várias formas espirituais, positivas e negativas.

Cada porção do Todo universal tem ao seu alcance a possibilidade de tomar a direção que desejar, no sentido da evolução, através da capacidade que designais como liberdade de escolha.

---

* A autora utilizou a formação DU(al), onde "DU" é a 2ª pessoa do singular, em alemão, talvez para sugerir dualidade. Além disso, a forma de tratamento informal por 'TU'', em alemão, corresponde ao "Você", em português (N.T.).

Em meio a essa evolução perde-se, porém, o contato puro com o Todo ou, mesmo, com seu pólo oposto — aquilo que pode se expandir de forma contrária; assim, perde-se o amparo do sublime e precisa se fazer um desvio para reencontrá-lo na perfeição. Um meio a ser utilizado é a encarnação material.

Cada um traz em si uma pequena porção do plano em que deverá manifestar a perfeição.

A perfeição gera mais perfeição, pois não existem fronteiras para ela. Se assim fosse, a perfeição seria imperfeita, posto que não haveria liberdade de escolha.

Perfeição não significa tornar-se inflexível.

\- - - - - - - - - - - - - - - - - -

Tu, que descendes do saber primordial, estás novamente no caminho.

Todo o Saber está armazenado em ti, mas tu não podes transformá-lo. Isso ocorre pois estás ligada ao teu corpo, que há de levar-te a um ponto definido da tua evolução. Antes de mais nada, estás isolada, como um Eu que ainda está em busca de algo; não estás mais tão distante de teu aperfeiçoamento, da tua dualidade, que perdeste quando te afastaste da perfeição.

É iminente o próximo passo, no sentido de atuar com responsabilidade na comunidade.

Antes, porém, deves superar a dualidade coletiva e viver em paz com ela, a fim de que possas levar a paz à comunidade.

Tua dualidade virá ao teu encontro no momento em que permitires a sua visualização clara, diante de teus olhos espirituais.

Tua supraconsciência jamais perdeu essa imagem.

Lembra-te do que disse Friedrich Rückert:

Em cada um existe uma imagem
Daquilo que se deve ser.
Conquanto não se a respeita,
Feliz por completo não se pode ser. *

Também podes dizer, simplesmente:

---

* No original: "In jedem ist ein Bild/ Des, was er werden soll/ Solang er das nicht ist,/ Ist nicht sein Friede voll" (N.T.).

Em cada um existe uma imagem
Daquele a que se deve amar...

Essa imagem surge claramente diante de ti, se tiveres maturidade suficiente para suportá-la.

Primeiramente, dirigir-te-ás àqueles que se assemelham a essa imagem e, às vezes, terás a impressão de que atingiste o objetivo. Não te deixes levar pela inocência, pois o momento é definido por determinação de uma sabedoria superior.

Não penses que com a descoberta da tua dualidade é chegado um momento de paz, porquanto esse momento consistirá, na realidade, no início de uma nova era da tua evolução, o que sempre está ligado a muito trabalho. Reconhece a tua missão e regozija-te com ela.

Hás de reconhecer, naturalmente, a tua dualidade. Existe entre vós uma ligação profunda, que dura há milhares de anos, que só poderá ser interrompida por um desvio do teu próprio comportamento.

É apenas uma questão da tua evolução ou, como dizeis, de tempo.

A verdadeira missão consiste em abrir-se à comunidade, de forma que o Eu não seja preponderante. Se o conseguires, terás amadurecido para o passo seguinte, uma encarnação não-terrena, sob condições psíquicas completamente diferentes.

De nada adiantaria descrever-te amiúde essas encarnações. Valoriza, antes, a tua encarnação atual. Ela é a condição prévia para uma evolução mais ampla.

A mensagem desenvolveu-se sem qualquer modificação da linguagem até o sinal de pausa (- - - - -). Ela está escrita da maneira como a recebi e, inicialmente, foi compreendida vagamente. Isso porque fiquei confusa com relação à minha imagem de Deus quando ouvi que o Supremo, que sempre imaginei como o Todo-poderoso, assumiu de repente a forma de vários níveis de energia espiritual, um conjunto de várias entidades.

A exortação do meu primeiro tutor do Além, feita repetidamente "Sê independente e livre no teu pensamento" —, torna-se cada vez mais valiosa, à medida que vou ficando mais velha e percebendo que, ao menos na Alemanha, os livros e os professores podem me oferecer muito pouco. Somos questionados de forma tão imbecil, que numa observação mais próxima (desculpas aqui e ali) tudo não passa de sucata espiritual. É exatamente assim. Não me ocorre outra palavra para exprimir.

Nas palavras mais simples residem a verdade mais pura e uma informação mais completa. Afasta-te desse tipo de gente que despreza essa simples palavra, ou daquelas "brilhantes" que usem a mesma palavra contra mim. Se bem me recordo, o Sermão da Montanha não foi composto com conceitos acadêmicos, nem à luz de tratados científicos. Então? Mostre-me algo mais perfeito!

Nessa área precisamos acumular experiência, aguçar a intuição e aumentar o discernimento, até sabermos o momento certo de podermos dizer calmamente: "Não, obrigado."

A propósito da linguagem utilizada na primeira parte da mensagem: a princípio, me aborreci com a repetição constante de certos termos, cujo emprego vez por outra pareceu-me um trocadilho. Até o momento em que compreendi que, mesmo esses termos e a constelação de palavras utilizadas, são decifradas pelo subconsciente. Leia esse parágrafo mais algumas vezes, tranqüilamente, e então descobrirá, assim como eu, qual o mistério que se esconde por detrás desse discurso peculiar.

A palavra "discurso" funciona como ótimo recurso de transição para o próximo tema. Ele trata de como devemos rezar.

No meu último livro, transcrevi um "Pai-Nosso" que me havia sido ditado em 1974.

A reação a esse "Pai-Nosso" foi inacreditável. Não só nas cartas, como também nas conferências (geralmente, encerro minhas apresentações com essa oração). Alguns ouvintes começam a chorar, outros dizem "sentir um calor no estômago" e outros a absorvem como aspirina — e funciona.

Devo declarar, para minha vergonha, que quando fui presenteada com essa oração não compreendi a razão. Minha reação foi "Hm...um Pai-Nosso diferente!" Antigamente, eu não costumava dar muito valor ao comentário. "A força está no uso das palavras corretas", pois eu nada entendia de ritmo ou de magia, o que me impediu de entender seu conteúdo. A verdadeira compreensão ocorreu em 1987 (!!), quando eu ainda divagava a respeito do efeito daquelas palavras.

A Oração e a Palavra

No início, era a Palavra e a Palavra estava com Deus; e Deus era a Palavra.

A Palavra é energia, é poder, é capaz de criar tudo onde pode e é utilizada.

A Palavra cria vibrações, transmite sua energia a toda a área a seu redor, ampliando-a até o infinito.

Por esse motivo, pondera exatamente sobre o que tu dizes.

Quanto mais conscientes forem as palavras que utilizas, maior efeito elas produzirão. Nenhuma palavra surge ao acaso. A seqüência de vogais e consoantes tem um sentido e uma importância.

A começar pelo emprego da palavra Deus. Ela jamais deve ser utilizada irrefletidamente, pois ela contém a maior concentração de vibrações energéticas que são, sempre, eu insisto, sempre atuantes.

Procura refletir sobre o que ocorre enquanto oras. Acostuma-te a fazer tuas orações com tuas próprias palavras, pois elas traduzem a tua própria vibração do momento, e serão mais profícuas quando empregadas sob essa forma de energia do que quando repetidas por mero processo de assimilação.

Além disso, a oração, quando feita de uma forma pessoal, facilita a assimilação interior e a expressão de pedidos e agradecimentos.

Lembra-te de quão insensíveis são as orações feitas nos chamados "rosários". Esse sentimento foi verdadeiro outrora. Só haveria valor se alguém que pertencesse ao teu círculo de aprendizado tivesse compreendido que a geração de um ritmo periódico de palavras exerce um tipo de influência. Contudo, não havia ao teu lado ninguém de posse desse conhecimento.

A oração feita mecanicamente não tem o menor valor. Uma oração só é útil quando é sentida em profundidade.

A oração mais poderosa que existe é o "Pai-Nosso". Toma consciência de cada parágrafo, do significado profundo de cada frase quando as proferires.

"Pai nosso, Senhor de todo o céu."

Essa frase explica a ti a existência de um poder energético superior, a quem designas por teu Pai, teu Criador. Ele não só criou a ti, como é o Criador de todo o Universo. Foste criada segundo o plano desse Universo que, por sua vez, se reflete nas tuas pequeninas células.

"Cujo nome é pronunciado com toda a veneração."

Todo aquele que tem consciência de que Ele é a sua origem, irá proferir o Nome dessa energia perfeita, somente com respeito e humildade. O Nome é Deus. Não somente os homens "dizem" esse Nome, mas tudo aquilo que Ele criou; tudo que existe traz a Sua palavra, o Seu Nome em si. Todo animal, toda planta, toda pedra é uma glória à perfeição, assim como uma incorporação, uma menção ao Seu Nome.

"Deixa que a Tua perfeição nos ilumine."

O plano da Sua perfeição existe em nós e através dele nós existimos. Tens a obrigação de promover a perfeição em toda forma existente. Mostra-te sempre disposta a cooperar com o plano, permita que o plano aja sobre ti, isto é, vive o teu destino com a consciência desperta e com gratidão, pois este é o caminho que escolheste para o teu aperfeiçoamento. Quanto mais tiveres consciência da misericórdia do reconhecimento, mais fácil será o teu caminho.

"Deixa-nos amadurecer pela tua vontade, que rege tudo e todos."

O teu caminho para o amadurecimento efetiva-se de acordo com um plano universal que, segundo a lei do livre-arbítrio, abre as portas para as possibilidades individuais. Quanto maior for o êxito que obtiveres em ajustar-te à harmonia de Deus, através da tua harmonia interior, mais fácil tornar-se-á ocupar-se daqueles que te cercam. Não me refiro apenas aos homens. Também a matéria submete-se à lei da harmonia. Há entidades espirituais na sua constituição. Vê sempre a ti mesma como parte de um todo; sente como se estivesses ligada a tudo e a todos — essa é a premissa fundamental do amor.

"Permite que o nosso trabalho gere bons frutos."

A busca, o amadurecer, significa trabalhar. Não te aborreças com o teu Criador pelas dificuldades, retrocessos e experiências dolorosas. Elas são apenas marcos necessários no teu caminho. Nunca te esqueças: somente o resultado final tem valor. Aliás, estás mais habituada a sacrificar-te financeiramente, dando muito valor à qualidade. Por que não te comportas da mesma forma quando a questão diz respeito ao teu amadurecimento e à tua experiência de vida? Valoriza sempre a esperança e a fé, pois terás ajuda no teu caminho assim como o teu pão de cada dia.

"Não permitas que nos tornemos culpados."

Perguntas qual o significado da palavra "ofensa" nesse contexto. Ofender significa repudiar as leis universais. Naturalmente, os Dez Mandamentos estão relacionados com as leis universais. Moisés recebeu-os de entidades mais desenvolvidas e experientes, e elas constituem o fundamento de uma comunidade. Existem, na vossa comunidade, códigos de leis, segundo os quais as infrações cometidas contra a ordem social devem ser punidas. Também existem códigos de leis que não foram escritos, cujas instruções trazes na tua consciência. Quando ages em desacordo com a tua consciência, praticas uma ofensa.

"Nem que atribuamos aos outros um procedimento culposo."

Tendes um provérbio bonito, segundo o qual cada um age por si. Quando agimos como juízes de uma causa própria, o veredito geralmente é positivo para nós. Um juiz também é um servo do seu semelhante. Um servo é um ajudante. Sua principal obri-

gação é a de conscientizar o acusado de sua falta e conduzi-lo à penitência cabível. Alguém que ajude a carregar o fardo alheio e que lhe fique grato. Principalmente quando ele é considerado culpado.

"Dá-nos força para renunciar à tentação."

A tentação é uma prova de firmeza de princípios e mostra quão maduro é o homem. Ela é muito importante e necessária. No "Pai-Nosso" que rezais tem o sentido de "não conduzir à tentação". Não é uma interpretação correta. Não é o Pai que vos conduz à tentação, mas, sim, a tentação que se aproxima de vós a fim de que possais alcançar clareza sobre vós mesmos e aprender a lidar, de forma responsável, com o livre-arbítrio. No momento da tentação, que geralmente surge como uma atração ou algum tipo de beleza, precisarás da força para aplicares tudo aquilo que aprendeste. O Pai implora pela compaixão dessa força e estará sempre entre vós, pois Ele vos ama.

"E força para vencer o mal."

Reconhecer o mal não é o suficiente. De nada vale colocarse contra ele; por outro lado, deveis lutar contra ele. Assim poderíeis vos libertardes do mal. Não sois crianças dependentes, mas companheiros de luta; não estais sob nenhum jugo, pois cresceis e amadureceis à Luz da comunidade.

"Para que nos tornemos dignos de ti na eternidade."

Através da força da resolução, do crescimento e do conhecimento, assim como através da força do amor, haveis de continuar sempre avante no caminho da perfeição, no caminho de Deus. É um caminho pedregoso, mas necessário para atingir a meta. Somente quando a vossa própria vibração estiver no mesmo nível da vibração da perfeição, podereis ser envolvido por ela. Portanto, sede dignos, para que vos aproximeis de Deus.

Amém.

Essa interpretação do "Pai-Nosso" foi precedida de um profundo silêncio, e eu não me atrevi a interromper esse "silêncio coletivo" com as minhas perguntas.

Entretanto, minha curiosidade foi mais forte que a atmosfera do ambiente e eu perguntei por que a forma original do

"Pai-Nosso", com o passar do tempo, havia se modificado tanto, a ponto de o sentido não corresponder mais àquele de outrora.

Foi-me explicado que existia, realmente, uma forma original, mas que fora consumida pelas chamas no incêndio da famosa Biblioteca Alexandrina.

Posto que eu só tinha conhecimento de um incêndio ocorrido no ano 47 a.C., comecei a revolver minhas enciclopédias e logo descobri que ocorrera, de fato, um incêndio do Templo de Serápis, considerado pagão e provocado intencionalmente pelos cristãos, que há muito consideravam-no "uma pedra no sapato". Infelizmente, depois de todo um trabalho de remoção, verificou-se que as chamas se haviam incumbido de destruir toda a biblioteca. Isso ocorreu no ano de 347 d.C. Se esses fanáticos tementes a Deus tivessem idéia do que estavam provocando com sua incompreensão pirotécnica, talvez tivessem renunciado a essa demonstração de intolerância cristã.

No início dos anos 80, fui novamente, "por acaso", a uma conferência de filologia sobre os idiomas do Oceano Pacífico. Comecei a me aborrecer quando o conferencista discorria sobre uma experiência "interessantíssima". Ele apresentou-nos palavras de uma língua completamente desconhecida para nós, propondo, em seguida, dois significados em alemão para que escolhêssemos. Deveríamos descobrir, de forma intuitiva, a correspondência da palavra estrangeira, sendo que os significados eram diametralmente opostos.

Não erramos quase nada.

O som das palavras estrangeiras produzia uma vibração que correspondia exatamente a um significado no nosso idioma. Não precisamos nos estender até o Oceano Pacífico, pois a experiência é válida para qualquer idioma.

Somente alguns anos depois consegui dominar as tais fórmulas iluminadas com as quais podemos alcançar tantas coisas e de forma profícua, contanto que tenhamos um professor por perto que nos instrua o suficiente a fim de que possamos aplicar as fórmulas corretamente. Tais fórmulas consistem apenas (!) em combinações de vogais e consoantes, o que, à primeira vista, parece uma composição aleatória. Depois que aprendemos a distinguir, com um ouvido interior e exterior mais apurado, as vibrações energéticas provocadas pela seqüência de tons, torna-se claro por que, ao utilizar essas fórmulas, podemos curar, matar, despertar, adormecer e, mesmo, provocar amor e ódio.

Se, porventura, alguém do ramo da música estiver lendo esse livro, saiba que quem consegue descobrir o que há por trás do mistério dessas fórmulas e emprega-as corretamente, terá condições de produzir um *hit* atrás do outro. Entretanto, quem chegou a ponto de deslindar esse mistério já não se interessa mais por *hits*.

Sobretudo, faz parte do conhecimento saber qual o tom que corresponde a determinada vogal ou qual harmonia pertence a determinada consoante. No começo pensei, ingenuamente, que não seria tão difícil a interpretação. Contudo, descobri durante meu aprendizado que mesmo quando chegar aos 90 anos (se o bom Deus o permitir) terei uma breve noção da potencialidade astronômica, que é possível através das combinações tonais e que estão ao nosso alcance. Acredito que com um computador poderíamos decifrar esse fenômeno matematicamente.

Difícil seria encontrar adeptos do esoterismo dispostos a unir o espiritual ao material no que tange a sua doutrina em prol do bem-estar comum.

Entretanto, existe um suíço que gosta de aparecer como *punk* e de exibir seu temperamento igualmente furioso, oculto pelo virtuosismo do idioma suíço. Refiro-me ao engenhoso Hans Custo, que, como matemático e físico, conseguiu introduzir essas matérias na ciência da música e da astrologia, de forma bem harmônica, tendo demonstrado resultados surpreendentes.

Esse Hans, eu acho, estaria em condições de romper o mistério dessas fórmulas. Além disso, esse homem desenvolveu um computador astrológico, que até agora ninguém conseguiu consertar, muito menos copiar.

Por enquanto, devo me contentar com as poucas fórmulas que consigo dominar e cujo emprego é motivo de alegria para mim. Espero, também, que Hans Custo tenha adquirido maior energia e impulso criativo do antagonismo entre o seu retiro toscano e a alegria de viver em Amsterdã.

Preciso aprender que cada palavra, assim como qualquer atitude, é armazenada no Akasha — na Biblioteca do Infinito.

O Registro Akasha

A Terra onde vives existe há muito mais tempo do que julgam os teus cientistas. De fato, o homem vive nesse planeta há um longo tempo. Ele se desenvolveu a partir das células primitivas, de onde tudo surgiu, todas as criaturas que vivem e habitam essa Terra. A ameba e o homem derivam da mesma energia celular. Num determinado momento da evolução foi conferida ao homem a capacidade de pensar e agir de forma criativa. Foi uma intervenção de fora e não tem sua origem na Terra.

A Terra abrigou, durante milhões de anos, entidades cujos traços, por um lado, desapareceram por completo e, por outro lado, se tornaram tão difusos que não são mais reconhecíveis. Alguns desses traços continuam inalterados, mas vós não conseguis compreendê-los e, muitas vezes, os interpretais de maneira incorreta.

Um dos legados dessa existência são as pirâmides, por exemplo. Elas não são, logicamente, meros jazigos. Os cômodos, a que vossos cientistas dão o nome de câmaras mortuárias, eram os lugares onde se faziam as iniciações. Nesse exato local da pirâmide, de acordo com a posição da Lua, ocorre uma concentração energética que possibilita aos iniciandos atingirem um estado em que se torna possível concretizar a iniciação.

Os mitos que conheces são apenas fragmentos de acontecimentos que, de fato, ocorreram na Terra.

Existe entre vós homens a crença de que o vosso planeta há muito fora habitado por visitantes de outros planetas. Isso não está de todo correto. As entidades que exerceram tão forte influência sobre o desenvolvimento do homem não vieram de um planeta qualquer, visto que são entidades que podem exercer qualquer tipo de influência sobre a matéria.

(Neste ponto, perguntei se, num sentido mais amplo, isso estaria relacionado com a Concepção da Imaculada Virgem Maria. A reposta foi afirmativa.)

Por esse motivo também foi possível a construção de obras do porte das pirâmides, foi possível dispor os blocos de pedra um sobre o outro sem utilizar nenhum tipo de liga.

Essas entidades podiam se materializar num corpo humanóide. Uso esse termo, pois somente se pareciam com os homens. Seus cérebros, ao contrário dos seres terrenos de outrora, eram completamente desenvolvidos. Assim, eles eram capazes de realizar obras vistas como um milagre pelos hominídeos. Os "deuses" a que vos referis, da mesma forma como aparecem na Bíblia como "filhos de Deus", eram a energia cósmica materializada sob a forma de seres.

Alguns deles fizeram mau uso de suas capacidades, divertiam-se com suas forças, de tal forma que os resultados interferiram no plano da Criação. Lembra-te que já ouviste a afirmação de vários de vossos cientistas sobre a existência de criaturas monstruosas na Terra, conhecidas como Filhos de Enoch. Isso está correto. Havia também criaturas semi-humanas, que proliferaram de uma forma assustadora, contrariando a proteção do código genético, o qual eles geralmente coibiam.

Contudo, eles não desdenharam apenas da força da reprodução, mas também da energia atômica. Isso levou à catástrofe.

(Perguntei se o desaparecimento de Atlântida estava relacionado com o abuso dessas forças. A resposta foi: "Assim aconteceu.")

Aquele que não observa as leis da Natureza, que abusa da Matéria, será punido, posto que a própria ordem natural se in-

cumbe de retomar sua forma original. Isso pode ocorrer sob a forma de uma catástrofe, como aconteceu nesse caso. Essa catástrofe mudou radicalmente a imagem da Terra. Se tentasses, hoje, juntar o continente americano e o europeu, verias que essas duas porções quase que se encaixam. A porção de terra faltante afundou outrora no mar. Isso ocorreu há 15.000 anos.

A porção de terra que submergiu chamava-se Atlântida. Era habitada pelos atlantes, oriundos da Lemúria. Eles desenvolveram o pensamento empírico, voltado para as experiências. Os melhores entre eles recebiam sua formação em templos especiais. Os mestres eram os humanóides, de que já falei anteriormente.

(Quis saber por que os cientistas, considerando a possibilidade da existência dessa porção de terra, não conseguiram, até hoje, determinar a localização exata de Atlântida. A resposta foi surpreendente, mas extremamente lógica.)

A Atlântida possuía outras colônias. Elas foram, logicamente, erigidas tendo como modelo a pátria-mãe. Por isso, encontram-se pirâmides no Egito e no México; portanto, nomes de lugares e mesmo conceitos são semelhantes em vários continentes, até hoje.

Entretanto, com a destruição da Atlântida, nem todos os habitantes pereceram. Muitos foram avisados com antecedência, outros tiveram um pressentimento e outros só puderam fugir no último instante. Dirigiram-se, na maioria, para as colônias.

A catástrofe foi conseqüência de um comportamento errôneo, que se estendeu durante várias gerações. Os atlantes sabiam como lidar com a energia solar, que eles incrementavam ou armazenavam, utilizando cristais específicos. Eles também podiam conservar essa energia e utilizá-la quando considerassem necessário. Foi a má utilização desse concentrado de energia que levou à catástrofe.

A Atlântida afundou no mar.

Todos esses fatos podem ser vivenciados por uma pessoa madura e dotada através do registro akáshico. O Akasha é a biblioteca espiritual da vossa Terra. Não é comparável a nenhum livro de história que conheces, posto que nela estão acumuladas todas as memórias imorredouras, cujo significado e percepção não são acessíveis diretamente. Por esse motivo, mesmo o melhor arqueólogo jamais poderá obter provas definitivas sobre os acontecimentos da era primitiva, a não ser que o faça um homem inspirado, iniciado, que saiba decifrar os símbolos com precisão.

A porta do Akasha só se abre para aquele que cultiva um contato com o mundo espiritual. Suas imagens, seu conhecimento estão à disposição dessa pessoa.

A condição básica para esse contato é uma consciência elevada e uma capacidade de conhecimento arrojada.

O Akasha, todavia, abre-se não só para proporcionar a visão de imagens do passado, porquanto serve ao observador como forma de conscientizá-lo dos erros cometidos em tempos remotos, assim como confere-lhe a possibilidade de influenciar no desenvolvimento da humanidade. Nisso está implícito evitar condutas erradas, bem como uma nova catástrofe, semelhante à de outrora.

(Irrompi com a observação de que ainda não se havia descoberto a energia dos cristais.)

Os homens ainda não aprenderam a conservar a energia de maneira correta... Hás de compreender o que digo quando vires o número de usinas nucleares se multiplicar. Os acidentes hão de ocorrer na mesma proporção, pois estão relacionados com a incapacidade de o homem conservar esse tipo de energia.

(Essa mensagem me foi transmitida em 1979. Ainda não havia acontecido nada em Chernobyl.)

É evidente que no Akasha está registrado não só o destino de todo o planeta, de todas as raças e todos os grandes fatos históricos, mas também o destino e os feitos de cada indivíduo. É por isso que os videntes bem-dotados podem predizer o decurso da vida de uma pessoa, porque determinados pontos sempre se repetem.

Contudo, nunca se pode prever o comportamento do homem, uma vez que ele está de plena posse de seu livre-arbítrio. Por isso, também, seu tipo de reação não pode ser observado a partir do Akasha. Fatos relacionados com o futuro só serão mencionados se servirem como reforço à determinação daquele que busca a informação. Uma predição pode funcionar como uma orientação, que só pode ser recebida por pessoas suficientemente maduras, posto que tal conhecimento é utilizável para preservação da sua própria independência.

Tais predições só podem ser feitas por quem for capaz de respeitar as leis espirituais. Um químico que domine a sua área poderá prever que tipo de união ocorrerá entre determinados elementos. Ele já fez essa experiência; não precisa comprová-la. O mesmo acontece com relação às leis espirituais. Para quem as conhece, não representa qualquer tipo de habilidade especial o fato de saber qual a conseqüência de uma determinada conduta para consigo mesmo. Ele se "lembra".

É exatamente dessas imagens da memória — os engramas — que consiste o Registro Akasha.

Eu não conseguia conceber, a princípio, a imagem dessa Grande Biblioteca Espiritual. A explicação que encontrei para o fenômeno foi sua comparação com um megacomputador, com uma capacidade de memória infinita.

Comecei a refletir sobre a relação entre armazenamento e carma. Se cada uma de minhas atitudes é armazenada nesse sistema, poderíamos imaginá-lo como um banco, onde a condição para estabelecimento de uma conta corrente está baseada no Deve-Haver. Conseqüentemente, a resolução do Carma — individual ou de grupo — deve estar ligada à compensação das atitudes tomadas. Só assim o eterno ciclo de culpa e expiação poderia ser interrompido. Existe ainda um fator muito importante associado a isso: o reconhecimento do princípio de Causa e Efeito, o significado da lógica das leis cármicas.

Uma vez que eu escolhi a encarnação nesta Terra, sobretudo a fim de amadurecer o conceito de culpa e expiação e assumir uma existência não-terrena, esse fluxo constante de encarnações terrestres deveria remeter-se, portanto, a atingir o ponto em que eu possa compensar todas as atitudes falhas que, por sua vez, me tornaram culpada.

Deparei-me nesse ponto com o primeiro problema, e o maior, que as pessoas enfrentam quando tentam pesquisar seus erros e culpas passados: qual a melhor maneira de me lembrar?

Recorri a terapeutas regressionistas mais ou menos conhecidos, e me submeti à experiência. Surgiam-me algumas imagens, a que eles designavam como épocas, lugares e condutas de vidas passadas. Os fatos nunca coincidiam. Enquanto para um eu havia sido uma sacerdotisa no Egito, para outro eu havia sido uma atriz na Grécia e, para um terceiro, um escriba na Roma antiga. Se eu fosse arrolar todas as informações a esse respeito que recebi dos regressionistas ao longo de um ano precisaria aumentar este livro em, pelo menos, três páginas.

Finalmente, cheguei à conclusão de que a única pessoa que poderia responder a todas essas perguntas seria eu mesma. Como eu conseguiria ativar minha memória? Desde minha infância, sempre tive dificuldade em me lembrar das coisas.

Procurei me informar com meus amigos e conhecidos mais próximos, tentando verificar se eles conheciam alguma técnica ou sabiam de algum outro tipo de experiência relacionada com o fato, mas as respostas levavam-me sempre ao mesmo lugar: às técnicas de regressão. Eu achava estranho que nessas experiências sempre havia muitos reis, príncipes, sacerdotes, sábios, enfim, pessoas ocupando posições de destaque, quando nunca encontrei alguém que tivesse encarnado como empregada doméstica, como um simples trabalhador ou como um operário.

Ainda com relação aos *meetings* esotéricos de que participei, e que hoje são chamados de congressos, lá só encontrei pessoas que haviam sido sumos sacerdotes, reencarnações de Adão e Eva, vários chefes de Estado e muitas personalidades que, em séculos remotos, tiveram grande destaque na cultura ou na ciência. Algo não estava certo.

Assim, restou-me somente uma possibilidade de esclarecer esse problema: meus protetores precisariam me ajudar. Foi o que eles fizeram.

Reencarnação e Carma

Por que desejas saber com tanta insistência o que fostes em vidas passadas?

Olha para ti, olha a tua vida, onde tudo se espelha; o que foste outrora e tudo o que fizeste.

Todos os talentos que tinhas estão armazenados em ti; todo o conhecimento que adquiriste está à tua disposição na tua supraconsciência.

Estás como quando nasceste, quando tua alma reassumiu um corpo, avançando o limite de uma projeção, ultrapassando a fronteira do imaterial para o material.

Ao assumires um corpo, aceitaste as condições da matéria. Isso também está ligado ao esquecimento. Esse esquecimento é uma graça e tem um significado profundo; deves concentrar-te na tua vida atual e desfrutar de todas as possibilidades do teu livre-arbítrio, sem a influência das recordações de atitudes passadas.

(Perguntei se as regressões poderiam ajudar ou, mesmo, se eram possíveis.)

Quando o homem dispõe de maturidade e determinação ele pode reconhecer sua continuidade. Um bom observador pode obter muitas informações, principalmente nos sete primeiros anos de vida da criança. Preferências, aversões, temores e certos tipos de comportamento, servem como indicação de hábitos de vidas anteriores.

(Surgiram, pela primeira vez, as perguntas sobre os princípios genéticos. Finalmente, compõe-se a minha hélice a partir dos meus pais e dos meus antepassados.)

Essa consideração é perfeitamente correta e não contradiz, em hipótese alguma, o fato de que escolheste a teus pais sob tal aspecto. Nem sempre são as pessoas que conheces, as merecedoras da tua confiança, que hão de intervir em teu favor, que hão de te proporcionar uma vida sem problemas.

A constelação genética de teus pais deve ser de tal forma que tenhas a possibilidade de, a partir desses fundamentos, corresponder às exigências estabelecidas pelo teu programa de vida. Ligadas a isso estão, naturalmente, as dificuldades que escolheste e aceitaste, carmicamente, a fim de te instruíres e fortaleceres tua consciência social.

Uma deficiência nunca é casual, posto que o portador dela deverá desenvolver na sua consciência determinados valores, ligados a esse sofrimento e às limitações dele decorrentes, o que no futuro fará com que não tome decisões erradas.

Toma como exemplo um homem que em suas vidas anteriores cuidou apenas de suprir suas necessidades egocêntricas, que nunca se preocupou com o direito do próximo, nunca reconheceu que ele mesmo já recebera o cuidado de um outro alguém. Se ele for bem orientado e acolher essa orientação, aceitará na sua próxima encarnação uma provação que irá obrigá-lo a compensar seus erros da vida anterior.

Dou-te este exemplo, pois um caso semelhante ocorre muito próximo a ti (ele tinha razão). Sabes a quem me refiro. Esse jovem precisa aprender, através de sua surdez, a viver no mundo que o cerca, numa concentração constante, a observar cada movimento labial, cada mudança de expressão facial, cada manifestação da linguagem corporal. Ele vivencia tudo isso de forma dolorosa, posto que é incapaz de manifestar suas sensações por completo. O isolamento constante conduz ao difícil processo do reconhecimento da importância do seu semelhante, do amor ao próximo, ao amadurecimento que o capacita a adaptar-se de forma útil ao meio social.

Assim, a deficiência daquele que a enfrenta de forma espontânea confere a este, assim como àqueles que estão à sua volta, a possibilidade de enriquecer o seu conhecimento através da dificuldade, acelerando e aperfeiçoando seu processo de amadurecimento. Nunca se deve considerar uma tal situação como um castigo.

(Resolvi parar aqui, pois sentia-me sobrecarregada. Eu disse que se eu tivesse um filho deficiente mental ou se, de hoje para amanhã, eu ficasse aleijada, esse destino seria para mim uma forma de punição.)

Sabe, infelizmente o homem só aprende o que é o sofrimento através da dor. Tenta lembrar-te de uma única vez em que aprendeste alguma coisa a fundo através da sorte, apenas. Mesmo quando te mostras agradecida expressas apenas um alívio. Assim, o homem deve aprender através do sofrimento.

(Essa declaração me irritou profundamente. Foi como evocar a imagem de um vale de lágrimas onde vivemos, e que eu acho um absurdo.)

Não, a Terra não pode ser considerada um vale de lágrimas, da mesma forma que vossas escolas não são lugares de punição. Ambas representam caminhos importantes para o desenvolvimento, que nem sempre são tidos como agradáveis. Lembra do medo que tu e teus colegas tinham das provas. Todavia, lembra-te também da alegria de que desfrutáveis nas excursões escolares. Compara-o com a tarefa que a vida ora te impõe e verás que quase não existem diferenças. Existe o tempo do descanso, do prazer, assim como há o tempo do esforço e o tempo do esgotamento. Aquele que só descansa nada aprende. O tempo de descanso representa um papel importante e necessário como pólo oposto ao trabalho. O tempo de descanso deve ser respeitado na mesma medida da disciplina aplicada ao trabalho. Observa no horóscopo dos homens como a distribuição de energias proporciona um equilíbrio para essas qualidades temporais adversas.

Ainda assim, essa possibilidade está sob o domínio do livre-arbítrio. Ele pode perceber essas possibilidades ou não.

Pensa como seria se ficasses acordada durante toda a noite sem levar em consideração as exigências do próximo. Depois disso, não estarias apta a realizar corretamente as tarefas de que te incumbiste. Assim ocorre com as tarefas e provas superiores que encontras no plano de vida. Se não estiverdes preparada física e psiquicamente, não conseguirás realizá-las de forma satisfatória; padecerás e sentirás a vida como um fardo, um sofrimento.

Até os golpes mais difícies do destino poderão ser vencidos com galhardia se a pessoa conseguir extrair força dos momentos felizes da vida que a ela foram proporcionados. Esse fato também está relacionado com a capacidade de reconhecimento e com a gratidão. Aquele que só consegue reagir às adversidades da vida tem todas as razões de se comportar, como você mesma disse, "aos prantos".

(Continuei a falar sobre a intensidade dos infortúnios da vida.)

Alguns infortúnios podem parecer-te injustos; contudo, apesar de eu saber de tua predileção pelos provérbios, gostaria de assegurar-te, em aditamento a um conhecido provérbio, de que ninguém recebe mais do que necessita. O sofrimento pelo qual o homem hoje tem que passar ele impôs de maneira semelhante a outros homens, em outros tempos. Isso não quer dizer que a situação agora seja a mesma, mas que a intensidade do sentimento de padecer é comparável àquela. Já percebeste, várias vezes, que com algumas crianças basta uma singela admoestação para dissuadi-las com relação a um comportamento errado. Com outras, porém, é preciso um pouco mais de rigor, para que elas compreendam. O mesmo acontece com as almas. Nem todas precisam passar pela mesma catástrofe que ela um dia causou. O sentimento, contudo, deve ser o mesmo.

(Quis saber se a eficácia dos infortúnios por que se passa não seria de maior peso se a pessoa pudesse compará-los com o que experimentou no passado, digo, reconhecer seus erros a partir de uma comparação.)

Se pudesses lembrar-te de todas as tuas atitudes, tanto as boas como as más, isso consistiria antes numa carga maior do que numa ajuda no que diz respeito ao teu conhecimento. Teu subconsciente registrou todos os teus feitos e os traz à lembrança no momento correto.

(Nessa altura, lembrei-me dos suicidas, talvez porque um amigo meu houvesse praticado o suicídio há algumas semanas.)

O próprio suicídio é uma atitude ligada ao livre-arbítrio, embora seja um ato de desespero, originado de um distúrbio da aura e dos chacras. Já te disse várias vezes que o medo é o fator de desagregação de toda a energia do pensamento. A aura torna-se permeável como um cobertor corroído pelas traças, cuja energia gerada pelos chacras já não pode ser absorvida na quantidade necessária. O homem torna-se indefeso. Surge um sentimento de paralisação. Se a pessoa com problemas não receber nenhum tipo de ajuda, estará à mercê da destruição, o que não deves encarar como negativo, mas como uma situação em que nada há a fazer, a não ser eliminar um organismo incapaz de subsistir.

A culpa consiste, não no ato do suicídio em si, mas em permitir que os sentimentos negativos levem a pessoa a tomar essa atitude. Da mesma forma, o vício em drogas, o alcoolismo e o mau uso de energias concentradas (quis dizer, da magia) podem incapacitar o homem a conduzir seu projeto de vida de uma forma planejada. Os sintomas que ele manifesta nesse estado de degeneração têm como conseqüência os estados descritos anteriormente. O suicídio é apenas o resultado.

Consegui assimilar o teor dessa mensagem com muita dificuldade, no primeiro momento e ao longo dos dias que se seguiram. Pensei: como um Espírito Protetor poderia permitir esse tipo de acontecimento? Por que eles não intervêm?

Sentindo-me num "beco sem saída", fui à procura da minha amiga Nati, uma astróloga. Queria saber se podíamos prever um suicídio a partir do mapa astrológico, porque de nada adiantaria fazê-lo depois do fato ocorrido.

Era possível.

Descobri, a partir dos conhecimentos de astrologia cármica de minha amiga, que quase todos os suicidas, quando reencarnavam, tinham a possibilidade de concluir uma situação que não havia sido resolvida outrora.

Então, descobri uma coisa que para mim foi o mais interessante. Havia, no meu próprio horóscopo, uma disposição planetária típica cujo potencial está exatamente ligado ao suicídio. Isso não só num determinado momento da minha vida, mas durante toda ela.

Aos poucos foi-se tornando claro por que esse tema havia despertado tanto interesse em mim, da mesma forma como ocorrera com várias pessoas próximas a mim que já haviam pensado em suicidar-se ou mesmo aquelas que chegaram às vias de fato.

Reunindo nossas forças, descobrimos que, segundo o meu plano pessoal, eu não retornara por motivos de neuroses ou características semelhantes, mas sim pela prática de magia negra e por vícios.

Verificou-se que eu já havia me tornado uma alma bastante desenvolvida no sentido de completar a minha última vida neste planeta. Encontrava-me em meio a uma situação de fiscalização, em que deveria colocar à prova toda a minha capacidade e toda a minha força, mas eu me recusei de uma maneira tão lamentável, caí numa tentação tão deplorável que não poderia ter sido pior.

O despertar foi doloroso. Não que eu tivesse me suicidado nessa oportunidade; eu não chegaria a saber tanto. Eu vivi mais alguns anos dolorosos de arrependimento e morri, ainda muito estimada pelos que me cercavam, o que piorou a minha situação, pois eu sabia que esses sentimentos não eram autênticos.

O fato de chegar ao "outro lado" não carece de muita discussão. Estava claro que eu deveria recomeçar praticamente da metade do caminho.

Eu deveria, portanto, reencarnar num nível extremamente inferior ao anterior, em situações bastante desagradáveis, num meio que simplesmente me levou ao desespero. Para piorar a situação, comecei também a me lembrar, não aquilo que eu havia sido na última vida — isto eu talvez tivesse suportado — mas *COMO* foi do outro lado.

Eu vivia constantemente pensando em morrer. Sentia vontade de me atirar de cada ponte, de cada torre. Isso parecia uma excelente oferta que eu, simplesmente, deveria aceitar.

Não tive acesso aos êxitos alcançados, à simpatia, pois eu deveria estar em algum outro lugar. Isso representava, exatamente, a punição. Eu não podia ser feliz e, o que era pior, não conseguia amar, pois minha falta separou-me da minha outra parte, a partir da qual eu poderia ter-me unido ao amor mais puro, verdadeiro e completo que alguém jamais poderia ter.

Eu não perdera tudo porém.

Consegui, ao menos, preservar o conhecimento de como reparar um manto de aura "esburacado", até mesmo de como me dirigir ao homem certo. Quando usei esse meu conhecimento fui me estabilizando aos poucos e passei a usá-lo também em benefício de outras pessoas. Entretanto, todos os motivos que me levaram a não querer mais viver ficaram guardados em mim.

Reconheci que eu só poderia me lançar a essa tarefa quanto mais rápido eu aprendesse a amar as pessoas e a aceitá-las incondicionalmente.

Isso tudo foi visto a partir de três encarnações até a atual, e ainda há mais para ver no meu mapa astrológico.

Questionei-me sobre até que ponto seria possível verificar nessa história infeliz, nos meus registros, se eu teria levado a cabo o impulso de provocar a minha própria morte em alguma dessas vidas.

A boa Nati disse que o resultado seria catastrófico.

Quando questionei meu protetor sobre o mesmo assunto, a resposta foi que a afirmação de Nati estava correta.

Em conversas com médicos e psicólogos, constatei que em 99% dos casos de suicídio, as tendências para tal já haviam se manifestado antes. Essa advertência deve ser levada muito a sério por todos nós, pois demonstra que nem todo mundo se encontra numa situação de estabilizar a própria aura. A única forma de livrar o nosso manto de proteção desse processo canceroso é através do amor.

Quando comecei a me informar sobre esse tema ao longo dos anos, recebi uma tal sorte de informações que, no início, sentei-me completamente incrédula em frente à pilha de documentos adquiridos, questionando-me sobre qual seria a relação entre carma, energia e reencarnação e, de posse de tais informações, como eu deveria condensá-las.

Resolvi aceitar um novo desafio mental e, baseando-me nisso, decidir apresentar uma "nova versão". Comecei a reunir os papéis de uma forma completamente aleatória e obtive uma seqüência que não poderia ter sido mais lógica.

No próximo capítulo, encontram-se 102 declarações e indicações, que naturalmente foram resumidas, visto que muito já fora repetido. Adquiri esse material ao longo de quinze anos, em vários países, sob condições muitas vezes interessantes (em quartos de hotel, camarins, *halls*) e, às vezes, inesperadas. Muitas das declarações são coloridas por situações da minha própria vida, posto que foram a origem de várias perguntas cujas respostas espero que possam servir de ajuda, consolo e, mesmo, de alegria para o leitor, assim como serviram a mim.

Sexo, Eros, Ágape:
O Caminho para um Amor Perfeito

Vens do amor: foste criada a partir dele e através dele hás de retornar à tua origem.

O amor é uma experiência pela qual tens de passar antes de poderes transmiti-lo a outrem.

O amor é uma das necessidades mais profundas do homem. Não só do homem, mas todo o cosmos se alimenta dessa vibração que consiste nessa troca de energias. Aquele que se abstém dessa vibração perde sua vitalidade e fica propenso aos impulsos negativos.

(Se a minha origem é o amor, por que então eu me afastei tanto dele, ou mesmo me desliguei, a ponto de ter de reaprender a gerar essa vibração para poder viver, novamente, dentro dela?)

Tudo o que vive na Terra, entre vós e encarnado em vós, participa da separação voluntária da Luz original, da proximidade do vosso Criador, que vos conferiu dádivas, que vos criou à Sua própria imagem e semelhança. Poderíeis dispor de uma energia criativa. Abusastes dessa capacidade, afastando-vos cada vez mais da Origem, de forma que vossas vibrações tornaramse menos refinadas, ficaram mais grosseiras, até o ponto em que sua expressão e amparo só encontraram lugar na matéria. Com isso, vos colocastes numa jaula e num estágio de aprendizado que vos obriga a partir de uma vibração inferior até alcançar a Vibração Superior do Amor Divino, do Poder Original.

(Essa separação está relacionada com o Pecado Original?)

Sim, o Pecado Original consistiu na dissociação voluntária do Poder Original motivado por uma energia contrária e autônoma. Seu mentor foi uma entidade da mesma origem energética que Cristo: Lúcifer. Um espírito elevado que quis sublevar-se contra o seu próprio Criador e modificar as leis a seu bel-prazer. Isso só teria sido possível com o apoio de vários milhões de entidades angélicas. É evidente que nem todos atenderam o chamamento daquele que, antes, era dotado de luz. Os que o seguiram, contudo, foram perdendo sua força, e sua energia foi se tornando mais rude, até solidificar-se na matéria. Quando eles perceberam o que haviam feito, o que haviam provocado com sua oposição, ficaram desesperados e tentaram retornar, contritos, à pureza da energia de Cristo. Esse retorno não era mais possível, visto que não poderiam mais partilhar daquela energia superior pelas infrações que cometeram.

Eles teriam de esperar por uma evolução da matéria durante milhões de anos, no decorrer dos quais foram obrigados a enfrentar a conscientização da sua separação.

Somente quando a evolução já havia alcançado um determinado estágio, em que apresentavam uma constituição passível de ser dotada de alma, é que os caídos tiveram a possibilidade de tentar, novamente, atingir a energia original.

(Eu também sou um Anjo Caído?)

És um ser espiritual que concordou com a oposição.

(Todos os que estão neste planeta também são Anjos Caídos?)

Sim, quase todos. Alguns entes espirituais mais elevados mostraram-se dispostos a se tornarem úteis, sob as leis humanas (mostraram-se dispostos a se encarnar). Desses, porém, não há muitos.

(Quem ou o que são os nossos Anjos da Guarda? São as entidades que se aliaram a Lúcifer ou são parte do poder divino original?)

Todos vós sois parte do poder divino original, ou nem sequer existiríeis. Só uma parte de vós abusou desse poder. Vossos

Anjos da Guarda são semelhantes a vós; pertencem ao mesmo grupo espiritual e, em grande parte, seguiram o mesmo caminho, tal como vós. A evolução deles depende de vossa evolução. O veredito cabe às entidades mais elevadas, a cujas ordens aqueles devem acatar.

Seu grau de amadurecimento é diferente e proporcional à maturidade de seus protegidos a quem eles acompanham. Uma entidade angelical distingue-se de ti exatamente pelo fato de que ela nada precisa decidir, posto que é simplesmente uma seguidora das leis.

(Finalmente compreendi: existem Anjos da Guarda e Espíritos Guardiães.)

Está correto. Diferenciai-vos pelo uso do livre-arbítrio, apesar de todos estarem sujeitos às mesmas leis, principalmente à lei do amor e à lei do dar e receber.

O aprendizado básico do amor é uma experiência sentida na própria carne, para ser mais explícito.

No que diz respeito ao sexo, este faz com que o homem aprenda a sentir o amor físico, o que ocorre no início do aprendizado da sensualidade.

A proximidade, o calor de uma outra pessoa, que promoverá a satisfação das necessidades e impulsos sexuais de alguém, são as experiências inferiores, porém necessárias, do amor.

A etapa seguinte e a mais refinada é a fase de Eros que, de fato, compreende o amor sexual, mas com o acréscimo do desejo amoroso ardente. A satisfação do próprio corpo já não é tão importante, mas sim a satisfação do sentimento do outro, que se manifesta pela sua reação. O parceiro sexual não deve ser classificado como objeto de desejo, mas como amante desejado e como complemento do outro.

Com essa troca de amor, aprende-se o ágape, o amor universal, desinteressado, o amor ao próximo, que nada exige; sem expectativas e completo. É o amor que se alimenta de si mesmo e em cuja pureza — vibração do amor divino — alcança o próximo.

O ágape abrange a renúncia, o compromisso, a compaixão, o compartilhar alegrias, a falta de ciúme, a gratidão, a satisfação em promover a alegria, a solicitude. Prevê, também, a alegria consigo próprio, que nada tem a ver com o egoísmo, mas com o reconhecimento de estar seguro em Deus. Seguindo essa forma de amar, todos se elevam ao caminho da perfeição.

Se um relacionamento amoroso estiver baseado unicamente na satisfação de determinados desejos e projeções, então não te decepciones se teus sentimentos não forem correspondidos da maneira como esperas. O amor não exige, nem espera nada em troca. O amor é auto-suficiente.

O ciúme é uma mera expressão de imaturidade. Enquanto considerares o teu parceiro como propriedade, estarás demonstrando que nada compreendeste da forma pura do Amor. O Amor é, além da confiança, o conhecimento de que nada poderá "ser tirado de ti". O parceiro que te dá motivos para ciúme está reagindo a partir dessa projeção. Se irradiares o teu conhecimento das leis do amor, atrairás para ti um parceiro de concepção semelhante à tua. Enquanto não reconheceres essa lei por completo, enquanto não conseguires interiorizá-la, recorrerás sempre ao tipo de parceiro que precisará te ajudar a aprender esse ponto tão importante.

Esse processo é, naturalmente, doloroso. Assim, enquanto desejares possuir, não estarás amadurecida para a forma pura do amor. Se, por outro lado, teu relacionamento está baseado no amor, não terás medo de seres abandonada ou iludida. Aquele que procurar iludir-te estará apenas demonstrando que teu amor não o completa; por isso ele deverá continuar na sua própria busca. O erro, portanto, reside em ti.

É claro que existem tentativas e provações. Quando a tua forma de amar estiver suficientemene madura, não terás dificuldade em compreender e perdoar. O mesmo livre-arbítrio que Deus conferiu a ti deverás concedê-lo, também, ao teu parceiro.

(O que dizer, então, sobre a bela frase: "Até que a morte vos separe"? Quer dizer, realmente, que um casal, mesmo não se entendendo mais, deve permanecer junto? Aconteça o que acontecer?)

Um casal que se encontra sob essa aliança não vivencia casualmente essa forma de comunhão. Ele precisa dedicar-se a um programa comum onde cada um aprende com o outro, e a partir do outro, a ajuda e o apoio mútuos, assim como ocorrem os atritos. Se obtiver êxito nesse programa ou, mesmo, reconhecer que não foi bem sucedido, o casal deve separar-se em paz. Talvez cada um deles alcance a maturidade à sua maneira, o que irá permitir-lhes estabelecer uma nova comunhão.

(É possível que isso ocorra numa encarnação posterior?)

De fato, na maioria das vezes, os casais se reencontram numa outra encarnação; contudo, não desempenhando o mesmo papel. Isso ocorre, pois deverão superar problemas não resolvidos anteriormente, o que geralmente acontece através do vínculo da paternidade ou por outro laço de parentesco. Isso eles não terão como evitar.

(O que acontece quando um casal reconhece que a convivência com os filhos é impossível?)

Nem todos os pais têm maturidade suficiente para reconhecer que devem colocar seus problemas em segundo plano, enquanto a criança ainda se encontra numa fase inicial de desenvolvimento. A criança tem o direito de exigir toda a atenção para si. Quando existe entre os pais uma desavença tal que não permite um desenvolvimento pacífico, eles devem separar-se.

A criança deverá permanecer com o genitor cujo grau de maturidade possibilite um acompanhamento mais próximo dessa criança e que possa responsabilizar-se pela continuação do seu desenvolvimento. Às vezes, nenhum dos pais parece estar em condições de educar a criança. Nesse caso, o destino se incumbirá de apresentar uma pessoa que assuma essa obrigação com responsabilidade. A obrigação dos pais é, portanto, dedicar-se à educação do filho, pensando no seu próprio bem e não motivados por instintos egoístas.

(Você diz sempre que toda criança escolhe seus pais. Qual o sentido que existe em encarnar numa família na qual os pais ainda não são capazes de realizar sua missão de pais?)

A encarnação de uma alma em determinada família não ocorre sempre no sentido de ali permanecer até atingir a juventude. Algumas vezes, toma-se como base o código genético que os futuros pais têm a oferecer, no sentido de que, com os carac-

teres e dotes genéticos provenientes deles, a criança possa desenvolver sua missão.

A teoria da hereditariedade não contradiz, em absoluto, a teoria reencarnacionista. Existe uma hélice material, da mesma forma que existe uma outra não-material. Quando uma encarnação é planejada, é escolhido um casal, cujo código de DNA corresponda à hélice não-material daquele que está por encarnar. Mais adiante, é claro, também serão cuidadosamente pesados o momento da geração e do nascimento, reciprocamente. Ambos esses momentos são de grande importância.

Vossos médicos deveriam compreender, afinal, que qualquer tipo de intervenção artificial é um crime, a não ser que tal atitude se mostre inevitável.

Fato semelhante ocorre no que diz respeito ao uso de meios artificiais para retardar a morte. Nenhum homem que tenha assimilado a lei do amor teria a idéia de ocupar-se de tal mister.

O médico que não tenha compreendido a lei do amor não é digno de exercer sua profissão.

(E com relação à eutanásia?)

Uma missão terminada prematuramente não deixa de ser uma missão a ser cumprida, que deverá ser retomada em outra vida. A antecipação do fim é uma atitude inerente ao livre-arbítrio, sendo que os fatos não se modificam através disso. Eles serão apenas prorrogados. Aquele que pratica a eutanásia aceita uma grande responsabilidade para si.

(A eutanásia não pode ser considerada, também, um ato de amor?)

É um assassinato sob qualquer aspecto.

(Mas, do ponto de vista do amor, a eutanásia é um ato legítimo?)

Eu não disse isso. Nenhuma intervenção no processo natural do destino é legítimo. Ninguém que tenha se submetido à eutanásia irá, no além, agradecer àquele que a provocou. Seria mais adequado aliviar o sofrimento do enfermo e, sobretudo, explicar-lhe o significado do estado em que se encontra.

Isso é amor ao próximo.

Ao longo dessa conversa, abordamos temas como a eutanásia, médicos, nascimento, além de discorrermos sobre o aborto. As mensagens a esse respeito foram bastante concisas e significativas e estão relacionadas, num sentido mais amplo, com o tema do amor. Eu não gostaria de elaborar um capítulo exclusivamente sobre o assunto, visto que as mensagens foram demasiado curtas. Entretanto, contêm uma informação que devo fornecer:

O aborto é uma intervenção num processo natural, assim como no destino, sendo, portanto, ilegítimo. Nada ocorre por acaso no plano divino, muito menos o nascimento de uma criança.

(Como relacionar uma missão que, via de regra, não é voluntária, com o livre-arbítrio?)

Tens a possibilidade de comunicar à alma que deseja encarnar em ti que superestimaste tuas capacidades e que, no momento, não estás em condição de aceitar essa missão. Comunica-te com as tuas entidades protetoras. É possível que a alma regresse e que, mais adiante, torne a encarnar em ti. Tal fato só pode ocorrer a partir dessa consulta prévia e havendo condições favoráveis para tal, no futuro.

Isso também é praticado pelo outro lado. Uma morte natural objetiva, geralmente, promove o reconhecimento daquele que está por encarnar, de que as condições ainda não são ideais, ou de que mais adiante haverá uma possibilidade mais proveitosa para mãe e filho. Nenhuma morte é casual.

(Tentei esclarecer uma questão igualmente importante. Eu quis saber a partir de quando o embrião é dotado de alma.)

Com relação ao aborto, essa pergunta é irrelevante, espero que o saibas. Não há diferença entre matar um embrião quer ele seja ou não dotado de alma. A intervenção continua sendo uma intromissão no curso natural do destino. O que sofre ou que papel desempenha a alma? Ela ocorre de forma tão individual, assim como se harmoniza com a natureza humana, de forma geral. Ela é, de qualquer maneira, um ato ligado ao livre-arbítrio. Existem casos em que a alma só encontra o corpo no momento do nascimento.

(Qual o ponto mais remoto?)

O momento da geração.

Fico pensando no tempo que gastei "discutindo" com todas as pessoas possíveis na tentativa de esclarecer esse tema. A solução era, como sempre, lógica. As leis são sempre válidas em qualquer área. Quem consegue compreender o significado dessas leis pode poupar seu tempo valioso nesse tipo de discussão. Em alguns casos pude assistir como ocorre a consumação espiritual durante a gravidez. Em TODOS os casos a evolução da gravidez foi normal.

A incorporação de uma alma, seu encontro com o corpo, é uma forma de amor ao próximo sobre o qual receberemos um esclarecimento antes de encarnarmos.

Poderíamos comparar o aborto com a situação em que um amigo vem nos visitar e o deixamos do lado de fora da porta, exposto ao frio e à fome. Nada acontece em nossa vida sem a nossa prévia aceitação antes de encarnarmos neste planeta. Isso pode parecer absolutamente inacreditável para alguns. Ninguém que esteja deste lado do esquecimento tem condições de compreender tudo aquilo a que se sujeitou uma alma para poder submeter-se a uma encarnação que, por fim, estava destinada às condições horríveis de um campo de concentração, por exemplo. É assim que acontece. Ninguém há de levantar o véu que cobre o mistério da encarnação.

Tive a sorte de ter "nascido depois". Eu adoraria saber quem disse isso pela primeira vez. Os participantes — assassinos, opressores e traidores — do 3º Reich foram nossos pais e escolhemos seu código genético como as estrelas sem brilho para a nossa encarnação. Isso quer dizer que os componentes que nossos pais permitiram que se desenvolvessem neles, a ponto de torná-los cegos e surdos, hoje fazem parte de nós. Resta-nos pedir a Deus que nos conceda proteção e força, caso esses "nascidos depois" tentem levar-nos à tentação. Que possamos reconhecer a tentação, exatamente para que possamos dela nos defender.

Essa força de Deus não é como o amor, o amor ao próximo e, se essa força tivesse exercido sua influência na alma dos homens durante os anos obscuros, tais atrocidades não teriam acontecido. Bem-aventurados aqueles que, outrora, se insubordinaram e que pela própria insubordinação foram levados à morte.

Assim como aqueles que arriscaram suas vidas, não somente para salvar amigos como também inimigos, aqueles que entoaram destemidamente e praticaram o Cântico do Amor com a consciência voltada para Deus.

Atribui-se ao lendário filósofo chinês Lao-tsé — de quem não se sabe ao certo quando e onde viveu — a grande obra, o *Tao-te-King*, que proporciona ao homem um conhecimento suficientemente profundo para que ele possa concentrar-se na força da origem do mundo. Esse pequeno livro exerce a mesma força sobre o cérebro, como o faz o ar fresco das montanhas em nossos pulmões. Veja por quê:

Lao-tsé escreve sobre as conseqüências de uma vida sem amor:

O Dever exercido sem Amor torna-nos aborrecidos
A Responsabilidade sem Amor torna-nos irreverentes
A Justiça praticada sem Amor torna-nos impiedosos
A Verdade sem Amor torna-nos críticos
A Inteligência sem Amor torna-nos mentirosos
A Amizade sem Amor torna-nos hipócritas
A Disciplina exercida sem Amor torna-nos pedantes
O Conhecimento desprovido de Amor torna-nos teimosos
O Poder praticado sem Amor torna-nos cruéis
A Honradez sem Amor torna-nos presunçosos
A Posse desprovida de Amor torna-nos avarentos
A Crença sem Amor torna-nos fanáticos.

Sem amor, mesmo as qualidades mais nobres do homem não passam de fraquezas e falta de caráter. Acho que ficou bem claro a partir desse excerto da obra de Lao-tsé o significado do Amor, muito mais do que o teria sido se elaborado por um tratado filosófico ou teológico moralista.

Eu gostaria de aproveitar o tema do Amor para discorrer sobre o conceito de tolerância.

A palavra tolerância, segundo sua etimologia latina [*tolerare*], significa "padecer".

Quase todas as pessoas com quem conversei e troquei idéias a respeito desse termo são da opinião de que a tolerância é algo de bom, fino e nobre. A discussão tornava-se cada vez mais inflamada, porquanto eu mantinha a opinião de que tolerância seria uma espécie de *excuse for everything.** As pessoas tolerantes são, para mim, aquelas que — a despeito dos que temem as confrontações — preferem enfrentar os inconvenientes que se apresentam em seu caminho, ao contrário daquelas que evitam esse mesmo caminho, omitindo-se, sempre prontos a uma reação inesperada e agressiva, porque determinado fato ultrapassa o seu "limite de tolerância".

Não sou nenhum Lao-tsé, mas me atrevo a acrescentar uma frase ao excerto mencionado anteriormente: Sofrer e não ter amor é uma forma de exercitar a tolerância, ou melhor, quem ama (ao próximo) não precisa de tolerância.

Um dos abusos mais pavorosos da "tolerância" foi a educação antiautoritária, cujas conseqüências ainda hoje temos que suportar. Considero essa conduta pedagógica, voltada para a falta de amor e da liberdade de pensamento, como uma invenção semelhante ao cinto de castidade.

Naturalmente, é muito mais confortável ser antiautoritário do que orientar-se pelas regras valiosas de uma boa educação. Todo pai e mãe, bem como os educadores, sabem de quanta paciência é preciso para seguir esses princípios.

A existência de dissidentes não só é normal como compreensível, pois, afinal de contas, não somos robôs. Essa dissidência, contudo, em nada contribui para a criação de uma linha fundamental e necessária para uma boa educação de nossas crianças e jovens, a quem costumamos atribuir a culpa por uma formação deficiente. Isso é apenas outra forma de amor. Educação sem amor é terror, rigor, adestramento, enfim, uma demonstração de ânsia pelo poder. Por outro lado, a disciplina com amor mas *SEM* rigidez é comodismo, desmazelo e uma projeção da própria falta de amor do educador. Ambos esses erros de conduta pedagógica recaem sobre o jovem em desenvolvimento.

Durante os debates com jovens participantes das conferências, eu sempre aludia ao tema da autoridade e constatei, repetidas vezes, que os jovens nada têm contra a figura revestida de autoridade, tratando-se, é claro, de uma verdadeira autoridade.

---

* Ingl. = "uma desculpa para qualquer coisa" (N.T.).

Nunca os modelos foram tão contestados como hoje em dia, apesar de sempre terem existido.

A pergunta "A quem devo tomar como modelo?" é uma questão da qual me esquivo vergonhosamente, porque a única pessoa que me ocorre, no instante, é a do sr. von Weizsäcker.* Eu gostaria de poder fornecer o nome de outra pessoa com menos de 60 anos.

Onde estão as personalidades que maravilharam a todos, nos anos 20 e começo dos 30? Os revolucionários, cuja tenacidade não gerou o oportunismo, mas, sim, um profundo espírito de justiça, um amor incorruptível à verdade e uma ânsia inquebrantável pela beleza e a perfeição. Onde estão eles?

Onde estão, sobretudo, os eclesiásticos com a personalidade de um Erxleben e de um Galen?**

O milagre econômico e a prosperidade que os sucederam, parecem não ter feito muito bem às pessoas, pois na conjuntura e cultura vigentes as formas sutis de amor ao próximo tornaram-se supérfluas para a grande maioria. O resultado é um empobrecimento generalizado que se manifesta furtivamente, mas que se dissemina cada vez mais. Gera, por exemplo, o desemprego e o fenômeno do "*numerus clausus*",*** a seqüência do florescimento de uma política (educacional) improdutiva. Um Sauerbruch**** não teria hoje a menor chance, com suas "declarações disparatadas", de colocar seu gênio a serviço do homem.

É enorme a ignorância de se considerar que o aluno "nota dez" está predestinado à área da medicina, do direito, da psicologia, ou a qualquer área do conhecimento, somente pelas suas notas brilhantes, fato que está intimamente ligado à intuição do homem e da mulher.

---

* Carl Friedrich von Weizsäcker — Físico de profissão. Seu trabalho versou sobre física atômica e sobre o físico em si.

** Galen, Clemens, Graf (1878/1946): em 1933 foi bispo de Münster; em 1946 tornou-se cardeal. Era contra o nacional-socialismo.

*** "Numerus clausus" = lat. número restrito: concessão feita a um número restrito de candidatos a alguma área de estudo, de profissão ou cargo (N.T.).

**** SAUERBRUCH, Ferdinand — (1875/1951): cirurgião; foi professor em Berlim. Introduziu novos métodos de cirurgia no tórax e a confecção de membros artificiais.

O resultado disso são os acadêmicos que, no seu mercado de trabalho, estarão aptos a ocupar muitas vezes um cargo de nível médio e, às vezes, um cargo superior. Eles conhecerão tanto sobre a arte de curar, ou mesmo sobre as leis, quanto se pode depreender as minúcias de uma reportagem apenas olhando as gravuras coloridas de uma revista.

Omitir-se-á, dessa maneira, que o verdadeiro *talento* reside na determinação do homem.

No âmbito da genética, vi falhar um jovem de 19 anos, com dotes de gênio e na categoria de "*numerus clausus*", que trazia consigo traços de memória relativos à Antiguidade, o que está relacionado com o tema de que estamos tratando. Infelizmente, ele era tão bem dotado para línguas quanto um aspirador de pó, mesmo na sua língua natal, matéria em que suas notas eram muito baixas, o que tornou impossível a continuação dos estudos. Não vendo outra saída, formou-se técnico em marcenaria e exerce, hoje, sua especialidade acadêmica somente como *hobby* e clandestinamente.

Com relação a mim, lembro-me muito bem de como eu sofria com todas as matérias relacionadas com a matemática. Minha memória é visual e auditiva; por isso, tenho facilidade para idiomas, leitura de textos e canções, que consigo repetir como um papagaio. Também não tenho nenhuma dificuldade em ser criativa nessa área.

Meu período escolar foi um verdadeiro pavor, pois ninguém conseguia entender que aquela criança podia fazer de tudo, menos estudar num colégio voltado para o estudo da matemática e das ciências naturais. Até hoje não consigo entender os conceitos básicos de álgebra, e as fórmulas químicas são para mim indecifráveis. Consegui nota nas provas porque, considerando a matemática como um pensamento abstrato, eu simplesmente transcrevia o que havia lido, sendo que conseguia a revanche nas "minhas matérias".

Nos encontros de classe, que ocorreram anos mais tarde, revelou-se que nenhum dos antigos matemáticos dominava outro idioma, a não ser alguns que falavam um pouquinho de inglês aprendido em algum desses cursos rápidos. Por outro lado, durante meus 19 preciosos anos de escola, e no que diz respeito à minha relação com a matemática, nunca exigiram de mim mais do que o conhecimento das quatro operações básicas e o cálculo de percentagem, o que eu "fazia brincando", com ajuda da minha calculadora *Mickey-Mouse*, ao mesmo tempo em que ouvia o hino americano.

Resultado: desperdicei anos da minha vida dedicando-me a um assunto que o meu cérebro simplesmente não conseguia assimilar. Como teria sido produtivo se, tendo conhecimento das minhas capacidades cerebrais, eu pudesse ter-me ocupado com o estudo de assuntos na área em que minha capacidade de apreensão é mais fácil e que, mais tarde, me fossem úteis, como escrever, fazer teatro, música, estudar idiomas...

Acontecia tudo ao contrário. Quanto pior era a minha assimilação numa determinada matéria, mais tempo era gasto nesse sentido em aulas particulares e cursos de reforço, visto que esses assuntos eram, supostamente, imprescindíveis para se ter uma vida humana normal. Quando penso em quanta energia eu tive que despender no meu tempo de escola, na minha formação deficiente em certas matérias — que eu hoje poderia dominar plenamente — sobrevém-me um sentimento que não interpreto, necessariamente, como gratidão (o fato de pessoas me obrigarem, durante anos, a estudar matérias que para mim não me foram de utilidade alguma).

Afinal, quando o nosso sistema de ensino há de reconhecer que existem cérebros geneticamente diferentes, com diferentes níveis de maturidade e de valores e, ainda, que essa diferenciação está relacionada com o número e a forma de encarnação pela qual uma alma deve passar?

Que impertinência a de um homem, que está na sua quarta encarnação, de querer transmitir o saber da mesma forma que o faz um outro homem, que tem atrás de si trinta ou mais encarnações!

Além disso, quando há de se reconhecer que aqueles que nascem de dia ou durante a noite escolheram sua entrada neste sistema cronológico baseados num determinado princípio?

Sempre escuto a mesma história de que "tudo é uma questão de se acostumar" e que faz parte de uma afinação interior.

Conheço centenas de pessoas que nasceram durante a noite e que se adaptaram, com disciplina e disposição, a um trabalho diurno e que sempre se lamentavam. Isso porque elas têm o seu próprio ritmo original, que não as deixa em paz antes das duas horas da manhã. Todas essas pessoas também admitem que seu rendimento, até mais ou menos o meio-dia, é quase nulo, e que de um final de semana a outro o tempo parece interminável, pois nos finais de semana podem distribuir suas tarefas durante o dia sem nenhum impedimento, ou seja, dormir até às dez da manhã. A disposição para o trabalho é mais concentrada — entre aqueles que nasceram durante a noite — entre as duas horas da tarde e a meia-noite. Isso quer dizer que, quando o dia de trabalho está por terminar, a curva de energia dessas pessoas está voltada para cima. Esse é um tipo de energia que nunca é utilizado de forma integral, seja na escola ou no desempenho da profissão.

Aos poucos, começo a me posicionar a favor de que esses homens se unam em prol de um interesse comum. Não quero dizer que não possa mais trabalhar depois do meio-dia. Só espero que essas pessoas dêem mais atenção a esse tipo de relação. Somente 10% das pessoas conhecem, de fato, o horário de seu nascimento — muitas pessoas reclamam de um cansaço crônico antes do meio-dia (a maioria alega problemas de pressão baixa).

Elaborei uma lista junto com conhecidos e amigos e descobri que todos os nascidos durante a noite — e que eram bem-sucedidos — desempenhavam uma profissão que ocupava sua tarde ou noite. Façam uma brincadeira e perguntem à sua cotovia matinal, ou à sua coruja noturna, a que horas saíram da casca. Vocês vão se espantar!

O meu pesar, contudo, é com relação às crianças que estudam, e que ainda não têm — tão claramente como nós adultos — o seu ritmo básico. Assim, aquele pobrezinho que nasceu às duas da manhã tem que levantar às sete e exige-se dele que esteja pronto no máximo até às 8h15. Daí os professores e pais ficarem admirados com a falta de concentração das crianças!

Meu sonho com relação às escolas onde no período matutino estudem aqueles nascidos durante o dia e que, no vespertino, estudem os nascidos à noite, continuará, com certeza como um sonho. Minha idéia era que, a partir de uma formação básica, o aluno pudesse ter sua especialização voltada para uma formação individual do pensamento criativo e abstrato.

Talvez, baseados nesse princípio, os talentos de cada um pudessem se destacar e, realmente, tornarem-se efetivos. Os talentos são, entre outros, as indicações sobre o rumo que o destino de cada um irá tomar. Como sempre, é possível que o livre-arbítrio, ou melhor, que as circunstâncias desempenhem um papel de maior destaque.

Quantos artistas em potencial não puderam desenvolver seu talento por completo porque seus pais acharam que o exercício de um determinado talento seria "pouco produtivo". Então, ofuscados pela insignificância espiritual desse ponto de vista, será escolhida uma "existência segura" como chefes ou empregados, em que poderão exercitar o seu talento que, doravante, deixará de ser considerado maldito.

O talento é um compromisso. Não o temos fortuitamente, nem o escolhemos geneticamente, para que pudéssemos fazer uso dele de forma material. Muitos fizeram mau uso de seus destinos e de suas aptidões, reprimindo seus dotes.

Vou repetir a declaração relativa a esse fato. Ela provém dos anos que precederam a minha carreira como cantora. Não é à toa que também a astrologia desempenha um papel muito importante nessa mensagem.

Aptidões, Talentos e o Dever de Reconhecê-los

Quando te decidiste pela tua atual encarnação, tua missão foi cuidadosamente selecionada.

Isso foi feito com a tua colaboração e consentimento. Cogitaste da possibilidade de executar uma quantidade maior de talentos que acumulaste e aprimoraste ao longo de muitas encarnações. Ao observar o decurso da tua vida e o aperfeiçoamento da tua personalidade, considerando ainda oportuno o momento, recebeste de teus pais um fundamento genético que permite a realização de todas as tuas aptidões. Esses talentos não foram, todavia, colocados ao teu alcance para que desses vazão à tua vaidade; pelo contrário, estão à tua disposição para que ajudes e sirvas aos outros. Deves ajudar as pessoas com teus talentos, orientar teus amigos no sentido de tornarem mais profícuos e leves os seus caminhos.

Se não cumprires esse dever, o abuso do talento voltar-se-á contra ti.

És dotada de profundo conhecimento sobre o poder curativo através dos sons, da influência do ritmo, bem como do poder da música sobre as pessoas.

É tua missão fazer uso desse conhecimento.

O poder estará na tua voz.

Se abusares dele, ser-te-á tomado.

O canto é energia em movimento.

Também tens a obrigação de manter uma harmonia interior, posto que a energia ao fluir através de ti, assume contornos próprios e é distribuída aos outros. Hás de refletir nos outros aquilo que realmente és, distribuindo tua energia que, por fim, retornará a ti. Não és a orientadora, mas o meio.

Se modificares a energia de forma negativa, serás responsável por esse ato.

Nunca te apresentes às pessoas quando não te sentires em harmonia com elas, quando não estiveres repleta de amor.

Nunca deverás pensar sobre que tipo de obra haverás de realizar, posto que és, sobretudo, o doador. É nisso que deves te concentrar. Cada melodia que cantas, cada palavra que dizes, emite algo que retorna a ti. Sabe, portanto, provar aquilo que cantas e dizes.

É evidente que tua subsistência deverá ter como base os teus talentos; porém, uma vez que isso está afeto aos fluxos de energia, deverás deixar fluir igualmente tudo o que a isso estiver relacionado.

Tenta agir de forma a nunca estacionares, a nunca acumulares.

Aquilo que recebes, deves retribuir.

Terás de encontrar a tua própria medida do aprendizado.

Mais vale o emprego da energia de uma forma equilibrada e bem assimilada do que uma emoção malcompreendida. É possível que estejas mais acostumada ao segundo tipo de comportamento, mas é o primeiro que expressa o verdadeiro saber. Receberás o amor das pessoas através dos sorrisos e das lágrimas e não através da satisfação dos instintos.

O ato de sorrir e o de chorar dissolvem os nós que se formam nos chacras.

Antes, contudo, deves ter a consciência do que é o sorrir e o chorar, para que possas transmitir aos outros o seu significado.

As pessoas poderão reconhecer a si próprias através de ti, pois tuas qualidades são comuns a todos, tanto as boas quanto as ruins. Por esse motivo, deves dominar o teu ser, posto que tua função é agir como um espelho para os outros.

O amor e a admiração que estão ao teu alcance não se referem exatamente a ti, mas àquilo a que dás acesso. Sê, portanto, grata, pela permissão de atuares como mediadora.

Examina com precisão tudo aquilo a que te dedicas.

Não permitas que abusem de ti, pois trairias a tua missão. Em teu cosmograma, tens a 10ª Casa em Gêmeos. Também é tua obrigação tornar público os teus talentos. Tua Lua está em Peixes, conferindo-te uma intuição muito forte, mas que também te deixa vulnerável a muitas pessoas.

Por esse motivo, deverás manter um equilíbrio constante entre o teu trabalho em público e o isolamento, senão perderás o teu comedimento.

Incomoda-te muito o fato de eu falar tanto a respeito de obrigação? Tua encarnação é uma obrigação escolhida inteiramente por ti, que te proverá de tanta alegria quanto melhor for a tua conduta.

Deves aprender, acima de tudo, a viver em harmonia.

Procura não lidar com assuntos revolucionários quando o momento for de paz (ele se refere aos períodos de Saturno, que são fases de restrição e, às vezes, de isolamento e recolhimento). Quando te colocares contra a paz, ela fará com que tu o percebas (sic). Se te unires a ela e não a sentires como uma forma de limitação, sentir-te-ás fortalecida e com o raciocínio mais claro.

Aceita as mudanças generosamente: NÃO TE OPONHAS A ELAS! Quando nasceste, havia no céu uma disposição estelar que tende a auxiliar-te somente na medida em que agires em ressonância com essa constelação energética. Aprende a interpretar os signos, a compreender as imagens, e não te oponhas a isso.

(Essa indicação parecia importante, pois ele a repetiu uma segunda vez.)

O mais importante de tudo é que ames as pessoas para as quais és a mediadora.

Também foste agraciada com talento para idiomas, assim como dispões do estilo para escrever.

É exatamente na união perfeita da música, do canto, da escrita e da fala que compreenderás a unidade e nela poderás servir como mediadora.

(Qual é a união perfeita?)

Quando a melodia, a harmonia e o ritmo estiverem de acordo com a vibração das palavras utilizadas para esse fim.

Quando o mediador estiver pleno de amor.

Hoje, quando escrevo e leio essas mensagens, sinto-me como o famoso sr. Müller, que recebera uma mensagem revelando-lhe os números vencedores da loto que seriam sorteados na semana seguinte; infelizmente ele se esqueceu de fazer a oposta. Não pretendo, logicamente, tecer comentários sobre o meu destino pessoal, mas somente sobre aquilo que possa servir de ajuda para você, leitor.

É muito comum ouvir-se: "Toda vez que comecei a fazer alguma coisa da qual não estava muito seguro minha vida começou a ficar tão descontrolada que tinha a sensação de estar sendo massacrado."

Não podemos deixar passar despercebido o papel que a astrologia desempenha nessa mensagem. Por isso vou prosseguir com o assunto um pouco mais.

Foi expresso de forma bem clara a maneira como a astrologia deve ser usada, isto é, para o esclarecimento e a constatação de qualidades, decisões, condutas; o período ideal e o menos indicado para tomarmos determinadas atitudes. Os períodos de estagnação têm um significado profundo; a solidão pode ser uma dádiva e, a doença, uma chance. Isso quando estamos preparados para aceitar o silêncio e permitir que as coisas fluam normalmente. Os períodos de expansão, por outro lado, não servem para que fiquemos "sentados num canto", discretamente, aumentando ainda mais a redoma que nos cerca. Nossos astrólogos ficariam muito gratos por informações dessa natureza.

Como posso usar as influências dos astros para promover o máximo de harmonia para mim e para aqueles que me cercam?

Nesse caso, um bom astrólogo talvez possa nos ajudar — se é que ele pode...

O fundamento dessa história de talento é que os dotes devem ser empregados com muito amor e em prol do semelhante, promovendo uma troca de forças (DAR-RECEBER), e quando o corpo e o espírito estão em harmonia. Isso é o que se chama de uma pessoa saudável. É tão fácil... e tão difícil!

Apenas uma história para ilustrar: Quando eu era jovem, trabalhava como ajudante numa butique para melhorar minha renda. A loja não ia muito bem, de maneira que eu tinha tempo suficiente para ler o jornal e estudar, todos os dias.

O tédio era tamanho que eu lia até os anúncios. Num deles lia-se: "Procura-se cantora para trabalhar numa grande discoteca nos finais de semana."

Como nos finais de semana eu não estava sobrecarregada, escrevi ao número indicado, fornecendo como endereço de referência o lugar onde eu trabalhava.

Alguns dias mais tarde, entraram dois homens na loja. Um deles era atarracado, delicado, mas com traços faciais bem marcantes. O outro era uma figura inesquecível: alto, magro, com olhos bem claros e penetrantes e sua pele era quase transparente. O primeiro era o dono da discoteca e o segundo chamava-se Thorwald Dethlefsen.

O futuro psicólogo trabalhava como organizador das sessões vesperais na discoteca para ajudar a financiar seus estudos. Organizava a programação, desempenhava o cargo de assistente e orientava o proprietário — pelo que me pareceu — não somente nos assuntos relacionados com os negócios.

Lá estava eu, enquanto ele dispunha os arranjos de flores sobre a mesa. Nessa época ele já estava de plena posse de seus conhecimentos esotéricos, que ele nunca tentou impor a ninguém, muito pelo contrário, pois comentava esses assuntos muito ocasionalmente. Ele observou minha entrada em cena com o olhar aguçado, reconhecendo logo a qualidade do meu trabalho, assim como os defeitos. "Você só vai conseguir alcançar o sucesso se puder amar as pessoas." Ele disse isso e apontou uma sala cheia de gente. "Antes você tem que amá-las e, só então, você vai fazer sucesso." Ele olhou para mim, pensativo. "Muito, muito sucesso", acrescentou.

Infelizmente, não tive muito tempo para desfrutar da presença dele. Naquela época, eu também não conseguiria ir muito adiante no que tange à compreensão dos fatos que ele posteriormente difundiu de forma magistral em seus livros. Naquela ocasião ele me havia proporcionado o que era, então, mais importante. Na verdade, eu ainda não havia compreendido muito bem os fatos, pois era da opinião que as pessoas deveriam amar, antes, a mim. Entretanto, a semente do conhecimento já havia sido lançada. Obrigada, Hermes!

Acredito que só podemos disseminar a alegria e ensinar a paz, quando realmente nos alegramos em fazê-lo. É por isso que o ambiente de nossas instituições é tão triste, alguns restaurantes são tão sombrios e algumas lojas tão improdutivas. Em todos os locais onde as pessoas trabalham apenas para ganhar dinheiro a atmosfera é inóspita. Em todos os lugares onde pessoas desprovidas de talento costumam atuar, existe sempre um espaço desprovido de amor aos quais os freqüentadores costumam acorrer de forma instintiva.

Nunca é tarde demais para o talento. Conheço donas de casa, lojistas, futebolistas, professoras de artesanato, engenheiros civis e comissárias de bordo que refletiram, profundamente, sobre o que estavam fazendo e simplesmente "saíram". Começaram a percorrer um caminho que os tornaria mais completos.

A princípio, basta que haja coragem para tal, pois a decisão justifica o objetivo, sendo que nunca vi fracassar ninguém que tenha se atrevido a dar o salto.

Isso não quer dizer que quem não está "sentindo" alguma coisa agora deve "pendurar as chuteiras". A decisão deve partir de uma determinação bem fundamentada.

Não faz sentido algum se, por exemplo, a srta. Prittlbauer, hoje com 46 anos, resolver ser cantora lírica, porque sempre soube de sua verve artística para tal, assim como de um impulso que parecia levá-la ao palco.

O talento também tem uma base séria, além de estar aliado à profissionalização; como a própria palavra insinua,* está chamando alguma coisa. Precisamos, portanto, dar ouvidos a esses chamamentos e acreditar neles. Na profissão.

---

* Em alemão, o verbo BERUFEN, além de significar "chamar, convocar", é utilizado como adjetivo — "autorizado, competente" — e o substantivo BERUF significa "profissão" (N.T.).

Na mensagem anterior, um dos meus talentos não foi mencionado. Talvez porque nem seja um talento: eu sei observar.

Faço isso há décadas e com toda a dedicação.

Eu gostaria de revelar pelo menos *um* dos resultados da minha observação: Nenhum daqueles que trabalham ou trabalhavam com grande dedicação e amor, baseados sempre na sua determinação, contraiu qualquer tipo de câncer ou faleceu em decorrência dele. Nenhuma dessas pessoas contraiu qualquer doença incurável; nenhuma delas sucumbiu.

Os que ficaram enfermos ou adquiriram doenças permanentes traziam em si uma ânsia constante por "alguma coisa diferente". Às vezes não conseguiam dizer exatamente quais eram os seus objetivos, às vezes sim. Diziam, mais ou menos: "Sabe, na verdade, eu..." ou "Eu sempre quis, mesmo..."

Esse tipo de desculpa é o pior tipo de censura que alguém pode fazer a si mesmo, pois a pessoa está admitindo que *sabia* que estava agindo em desacordo com sua determinação. E o pior é que não tomou nenhuma providência.

Esse tipo de gente vive num processo de frustração constante, numa vibração negativa constante. O que acontece é que essas pobres criaturas ficam espantadas quando adoecem. Isso para não mencionar a situação dos médicos que não sabem como proceder com essas pessoas. A cifra que pagaríamos pelo seguro-doença tornar-se-ia bem menor se todos nos dedicássemos aos nossos verdadeiros ideais.

É claro que as doenças continuariam a existir. Principalmente aquelas através das quais deveríamos aprender a controlar nossos erros de conduta e os pensamentos negativos; até mesmo aquelas doenças "providenciais", que nos obrigam a fazer uma pausa geral, mas que não são absolutamente desejáveis. Como era aquela frase tão bonita? Deves aprender a decifrar os signos.

"Como podemos interpretar uma fratura de perna?", perguntou alguém.

Nós podemos. Nem mesmo uma fratura de perna ocorre sem que, antes, tivesse havido uma advertência, segundo me disseram...

Adoecer e Ser Saudável

Tens a doença que mereces. Sempre.

Nas tuas doenças estão projetados os teus recalques, aquilo que não admites ou que preferes evitar. Tuas dores de cabeça provêm do fato de não desejares enfrentar teus problemas. Quando estás com dor de cabeça, tens uma boa desculpa para não refletir.

(Seguiu-se uma lista de problemas, que eu sempre tive e tenho dificuldade de enfrentar e que, por motivos compreensíveis, vou relatar aqui.)

Tua predisposição para os resfriados está relacionada com o fato de não permitires o seu fluxo normal. Queres sempre interrompê-lo; eis o erro. Não podes interromper o amor, não podes conter o sucesso; o bem-estar e a aparência estão, igualmente, sujeitos à lei da mudança. O medo da perda é um fardo pesado que trazes no peito, que dificulta a tua respiração. Daí surgem as tuas moléstias brônquicas. Sentes uma sobrecarga contínua, te sentes ameaçada, insegura. Essa também é a origem de tuas dores nas costas e da ciática.

Teu corpo reage à sobrecarga física que a ele impões continuamente.

Também acreditas que o amor está associado a vantagens e à mágoa. Adotaste esse tipo de sentimento e o submeteste ao teu subconsciente, pois te acostumastes quando criança a conquistar o amor através da realização de alguma tarefa. Agora já estás mais madura para reconheceres esse erro e bani-lo do teu subconsciente. Teu amor ao próximo é diretamente proporcional ao teu direito de nascer, assim como amar ao próximo faz parte dos deveres que assumiste quando nasceste.

Todas as sensações e pensamentos que guardas só para ti se manifestam nas células do teu corpo e do teu espírito (de forma positiva ou negativa).

As vibrações de pensamento negativas enfraquecem tuas células corporais e o teu sistema imunológico; teu manto de proteção torna-se poroso, permeável, e a conseqüência disso pode manifestar-se sob a forma de doenças.

(Mas também existem as doenças hereditárias?)

Já esclareci anteriormente que a base genética é apenas um fundamento sobre o qual realizar-se-á a tua missão, do ponto de vista físico e psíquico. Se escolhes para mãe uma pessoa que tem propensão à psoríase, por exemplo, assim o fazes porque terás que aprender a lidar com o problema da mesma forma que ela. Nesse caso, vemos representada apenas a imagem de uma couraça que deverá servir de proteção contra influências indesejáveis e ataques externos de qualquer natureza. Essa necessidade veemente de proteção e o medo de se machucar já existiam antes de te encarnares. A psoríase da tua mãe confere-te apenas a possibilidade de te ajustar nesse ponto dentro da tua genética.

O mesmo acontece com o câncer.

A predisposição hereditária parte de ti. Portanto, nenhum de teus ancestrais tem "culpa" das doenças que venhas a manifestar, pois é teu livre-arbítrio que irá indicar se deves ou não aceitar essa constelação.

Toda doença reflete os sintomas da época em que ela surge. O câncer é um espelho dos problemas atuais.

(Costuma-se dizer que o câncer é provocado pelo stress. Isso é verdade?)

Depende daquilo que entendes por stress. *No uso fluente do idioma, costuma-se utilizar o termo* stress *como sinônimo de estafa gerada pelo trabalho. Se usas o termo com o sentido de exageros cometidos no âmbito anímico, psíquico e espiritual, então tua concepção está correta.*

Usei o termo "espelho". Quando um câncer se desenvolve numa pessoa, isso começa a partir de um processo independente executado pelas células do corpo. Elas se dispersam de uma coesão original e iniciam uma nova colônia, por conta própria, com leis próprias, às custas do Todo, isto é, do corpo. Percebes a relação?

Toma como exemplo a depressão. Ela surge a partir do medo de não realizar determinadas exigências, da sensação de não poder mais suportar uma determinada responsabilidade. A pessoa busca refúgio numa cristalização psíquica. Dessa forma, ela se esquiva da obrigação de participar da sua missão, de uma maneira geral, pois se sente sobrecarregada.

(Esse tema não foi abordado por acaso. Já conheço bem a depressão, há muito tempo. Minha pergunta a respeito de cura gerou um enorme interesse.)

Se acreditas que podes curar um mal-estar com remédios, digo-te que isso é um embuste e que tem suas conseqüências. Agindo assim estarás adiando um sofrimento mais intenso que terás de enfrentar. A cura só irá ocorrer na medida em que aprenderes a lidar com os teus medos, isto é, a distingui-los e enfrentá-los. Antes de tudo, é necessário que sejas honesta para contigo mesma; talvez reconhecendo que deste muito destaque a teus objetivos, que te dedicaste a tarefas que estão além de tuas capacidades e que não percebeste os teus limites. Uma depressão representa sempre um desvio da proposta de vida que elaboraste. Terás de reorientar a tua missão com a ajuda de outras pessoas, quando possível.

Procura avaliar o período imediatamente anterior à depressão. Tenta descobrir o que gerou um tal estado. Quando começaste a te desviar da tua missão? Procura recuperar o teu equilíbrio, passo a passo. Não é preciso que seja de forma radical, de um dia para o outro.

O processo de estabilização deve ser executado lentamente, da mesma forma como ocorre com a desestabilização.

(E com respeito à insônia?)

A insônia nada mais é que o medo de dormir, o medo de não estar acordado. As pessoas que não vivem conscientemente têm dificuldade para dormir. Quanto mais claros se tornam os limites individuais, fica mais fácil superá-los de forma consciente. Não te deixes influenciar pelos outros; então te tornas dona do teu próprio sono.

Quanto mais consciente for a tua maneira de viver, mais claro distinguirás os símbolos (de novo!). *Quanto mais direta for a tua reação, mais resistente será a tua postura nas relações.*

Acima de tudo: Não temas!

Novamente esse "Não temas!" Eu não me sentia tão assustada. Alguma outra coisa deveria estar implícita. Se a palavra "temer" surgiu no final de uma longa conversa a respeito de doenças — e não foi só uma vez — deveria ter um significado mais profundo. Fui buscar em meus diários todas as circunstâncias da minha vida em que eu havia adoecido.

Vejam só! Estavam sempre relacionadas com situações da minha vida em que ocorreria algum tipo de mudança: ou eu não conseguia realizar minhas apresentações, ou em situações em que o meu orgulho ou a minha vaidade haviam sido feridos. Inconscientemente, eu me sentia sempre obrigada a me defender de alguma coisa. Quando essa "alguma coisa" não estava ligada a mim, diretamente, estava relacionada com alguma coisa da profissão que não estava me agradando; assim, noutra ocasião, eu tentava provar o quanto eu era insubstituível.

Também pude constatar que antes de qualquer incidente mais sério, sempre acontecia um "ensaio" do que estava por vir.

Antes das gripes, eu ficava rouca ou tossia o dia inteiro. Correto! Eu já estava doente antes mesmo que as pessoas pudessem detectar os sintomas.

Depois de refletir um pouco mais, dias depois de ter fraturado um braço, lembrei-me que havia derrapado ou me desequilibrado andando de bicicleta, o que não evitou que alguns dias mais tarde eu sofresse uma queda. Hoje eu me pergunto como tive a brilhante idéia de montar numa bicicleta. Eu *NÃO* sei andar de bicicleta.

Para resumir, toda doença é criada por você mesmo, o que significa, logicamente, que é você que vai ter que se tratar. Não me refiro à parte externa, pois para esse fim temos os médicos, mas ao interior, àquilo que está na sua consciência.

Até o melhor terapeuta utilizando seus métodos geniais tenderá ao fracasso se aplicá-los àquele paciente que não compreende ou que não está disposto a se submeter à dita terapia.

Aquele que não deseja tornar-se saudável demonstra que não está apto a trabalhar em prol e no seio da comunidade. Agindo assim, ele se mantém isolado. Novamente nos remetemos, nesse ponto, à ajuda com amor.

Que Deus nos conceda médicos dotados de amor, que compreendam o Todo e que se esforcem por elucidar, a todos nós, tudo o que está relacionado com a nossa saúde. Isso custa tempo e não dá dinheiro, o que vai contra os valores da nossa época. Qual é o médico que, por exemplo, dá-se ao trabalho de elaborar, hoje em dia, uma dieta alimentar adequada a cada tratamento?

Precisei chegar aos meus opulentos quarenta anos para compreender que a alimentação desempenha um papel importantíssimo na minha vida. Naturalmente, não só na *Minha* vida. Infelizmente, precisamos aprender, antes, na própria pele.

Como disse anteriormente, gosto muito de observar. Sou, hoje, mordaz o suficiente para dizer que teria sido melhor observar um pouco menos os outros e dar um pouco mais de atenção a mim mesma. Com certeza teria compreendido há mais tempo a relação que existe entre as coisas. Nos últimos anos, descobri o papel que o profundo desinteresse pelo meu corpo desempenhou na minha vida e, é claro, isso está relacionado com a minha forma abusiva de me alimentar. Eu não tornaria de conhecimento público a minha alimentação deficiente se não soubesse, por experiência própria, que esse tipo de comportamento não é praticado só por mim.

Não sei quantas vezes a minha maneira incorreta de me alimentar foi citada durante as mensagens. Reagi de maneira um pouco indiferente a essas admoestações, posto que me pareceram pouco vinculadas ao lado espiritual. Não consegui compreender muito bem qual era a relação com o contexto (como aconteceu várias vezes). O resultado foram distúrbios circulatórios, lentidão de raciocínio e problemas dentários, sem mencionar a falta de comedimento que começou a surgir com o tempo. Devo adiantar que sou uma verdadeira "formiga" (adoro doces), o que é o fator de interferência mais pesado para uma boa alimentação. Para os bons conhecedores da necessidade de uma alimentação correta, já ficou bem claro: Ahá! Eis aí alguém que procura compensar nos doces a falta de amor! Pode ser, mas não é esse o ponto a que eu, realmente, quero chegar.

Eu podia comer doces aos quilos e não engordava um grama sequer. Era magra como um palito. Por isso, não via motivo algum para modificar minha alimentação. Isso até eu chegar à "minha idade" em que, de repente, se manifestou o problema da gota, como já foi mencionado.

De um momento para outro, vi-me obrigada a lidar com assuntos ligados à nutrição, que eu já havia estudado há muito tempo.

Imediatamente, começaram a aparecer "miríades" de pessoas ao meu redor que apresentavam algum problema relacionado com a alimentação. (Veja o tema sobre o suicídio.) Tive, portanto, a imensa alegria de receber a atenção de meus caros semelhantes que, naquele momento, nada tinham de mais urgente a fazer que me confrontar diretamente com meus problemas de alimentação.

Pela primeira vez, lembrei-me do que minha avó costumava dizer quando, eu ainda menina, usava sempre quatro cubos de açúcar: "Você vai ficar esclerosada cedo." Quem levaria isso a sério aos 13 anos?

Desencavei meus livros, comprei novas obras a respeito do assunto e logo entendi o que havia conquistado com a minha ignorância. O tema já não me parecia mais tão desvinculado da espiritualidade como antes. Recorri, então, para o meu "Companheiro do Além" que, através da sua austeridade, fez-se presente desde o início.

Já que não é preciso fazer nenhuma menção a direitos autorais, posso identificar o autor das mensagens a seguir, sem fornecer muitos detalhes, pois este homem está morto há muitos séculos. Trata-se do médico de Carlos IV, Kaiser do Sagrado Império Romano-germânico.

Eu não sei — e infelizmente não lhe perguntei, aproveitando a ocasião — se ele teria "descido" novamente entre os séculos XIV e XX. Os comentários médicos que ele teceu, assim como suas orientações, foram sempre extremamente precisos, coerentes e absolutamente atuais. Entrementes, agradava-lhe discorrer sobre seus tratados empregando termos arcaicos, em latim, o que ele só fazia quando seus "colegas" atuais assim o pediam. Conversando comigo, ele era sempre divertido e bastante irreverente (não é de admirar!) e revelou-se um grande conselheiro e orientador nos momentos de necessidade.

Era muito comum ele pedir que eu cantasse, em "pagamento" pelos seus conselhos, sendo que era ele quem escolhia o "programa", o que não era muito fácil para mim, pois ele adorava canções populares francesas. Às vezes ele "exigia" uma determinada canção e eu tinha de pesquisar, pacientemente, esse material. Onde conseguimos encontrar, hoje em dia, canções do século XIV? E, ainda por cima, francesas?!

Partilhamos da nossa dedicação ao máximo e, no que diz respeito a mim, isso foi extremamente proveitoso.

Não sei onde se encontra o homem chamado Lukas. Às vezes tenho a impressão de ouvi-lo muito sutilmente, mas há dez meses não tenho conseguido "sintonizá-lo" com clareza (há, há, há).

As orientações que ele me deu referentes à alimentação, ao conhecimento de ervas medicinais, à cura através da água foram bastante interessantes, tendo sido incrementada pelos seus contemporâneos.

Tudo o que sei a respeito de Margarete Maultasch provém quase que exclusivamente dessa fonte. Ela nasceu em 1318, uma landgravina tirolesa, que se casou com Johann von Böhmen, irmão de Carlos IV.

Mantive o estilo das mensagens para que você possa se divertir um pouco e, também, perceber como existem variações nas mensagens. Às vezes recebemos mensagens de mais de um orador ao mesmo tempo, que se manifestavam verbalmente ou para fazer alguma correção. Eu não sabia o que fazer para tornar de conhecimento geral o teor dessas sessões. Talvez a própria escrita seja o suficiente, pois "*está em off*".

Alimentação e Preparo Físico

Poderias ventilar o ambiente um pouco mais, por gentileza?

Se não precisas ainda do ar, abre a janela ao menos uma vez por semana... Obrigado.

Tira os cinzeiros daqui, por favor. O mau-cheiro é insuportável.

Eu não disse que estou sentindo o cheiro. Disse que ele é insuportável.

(Durante uma longa discussão, ficou esclarecido que a nicotina diminui a qualidade de vibração da atmosfera.)

Não, não precisas usar óculos. O que tens de fazer é comer legumes frescos durante um mês. Teus olhos são excelentes. Mas nem mesmo a melhor constituição física pode suportar o ataque diário a que tu o submetes.

Não digas nada: 14 cubos de açúcar! E isso é o que eu vi somente nas duas últimas horas. Se soubesses como o açúcar reage com teus líquidos corporais... Que coisas horríveis são essas que tens nesse saco de papel transparente?

(Eram fatias de bolo mármore.)

Uma vibração vergonhosa, definitivamente repelente... não, isso não tem leite; somente açúcar, cacau vagabundo e fermento. Não precisas dizer nada: é tudo hábito. Não deste chance ao teu paladar de se desenvolver em outra direção. Estás comple-

tamente encalhada. Eu nada posso modificar. Isso deves fazer espontaneamente.

Eu já disse que tens de comer legumes frescos; sim, exatamente, estou querendo dizer legumes crus, não só pelas vitaminas mas, também, pelas fotocélulas.

(Por quê?)

As plantas armazenam fotocélulas, nunca ouviste dizer?

(O que armazena a carne?)

O medo que os animais sentiram quando foram abatidos. Tu comes disso tudo. Isso emana do teu corpo.

Sabes que existem albuminas vegetais e que um ovo tem mais albumina do que necessitas? Aproveitas muito pouco do que os reinos mineral, vegetal e animal podem proporcionar ao teu corpo. A alimentação deve basear-se nas três áreas.

(Como? Comer pedras?)

Já ouviste falar de silício, ou de magnésio, ou de ferro? Deverias passar uma semana tomando chá de urtiga e comendo dente-de-leão. Não. Sem vinagre, nem óleo!

Isso é para a limpeza. Estás muito suja por dentro. Assim tudo em ti trabalha mais lentamente.

Também é preciso que não te agites tanto. Ninguém espera que sejas o espelho da boa conduta. Nadar uma vez durante a semana não ajuda em nada. Deves ter uma atividade diária.

Nem precisas me dizer que hoje passaste, pelo menos, uma hora ao telefone. É uma pena, pois o tempo é precioso. Na hora do café também te demoraste mais que o necessário.

Seriam suficientes dois quartos de hora de ginástica diária — com a janela aberta, bem entendido — e antes das refeições.

Deverias tomar mais chá. Não! Chá-preto, não! Refiro-me a chá de ervas. Também água mineral com um pouquinho de sal marinho. Um pouco de grãos, ou limão.

Preocupa-te um pouco mais com a dissociação que se faz; isso seria bom para ti. Costuma-se dissociar-se os hidratos de carbono e a albumina. Isso é excelente para todo o organismo, pois permite que os líqüidos vitais atuem de forma eficiente. É muito importante para a digestão.

Não podes comer salada ou frutas à tardinha. Isso provoca uma fermentação durante a noite.

Falais tanto sobre polaridade e, no entanto, não a aplicais à alimentação. Vou tentar ser mais explícito: se consumisses a mesma quantidade de acidez, da mesma forma que o fazes com os doces, então...? Seria bom? Eu já disse: separa a albumina dos carboidratos, isto é, o doce do ácido. Se tivesses compreendido essa relação não terias engordado tanto.

(Mas eu não sou gorda!)

É só uma questão de tempo. Quando passas horas a fio sentada à tua escrivaninha, estás promovendo uma digestão cada vez mais difícil. Isso sentirás primeiro com relação aos olhos. Tudo está relacionado com a hiperacidez dos fluidos corporais. Deixa os óculos de lado, portanto.

Além disso, respiras de forma incorreta, muito tenuamente e tens uma postura horrível. Se modificares tua maneira de respirar, tua postura se modificará automaticamente. Sim, quando cantas, faze-o de forma correta, mas só aparentemente respiras de maneira adequada, quando és paga para tal. Constantemente pressionas teu diafragma. Qual a finalidade disso? Ali se encontra o teu plexo solar, teu ponto energético, a fonte principal que distribui energia para o teu corpo. Pode-se ver que tua consciência não está muito bem formada, ou terias percebido tudo isso sozinha.

Não me digas! Se o sabes e nada fazes é pior ainda. O que há de acontecer quando ficares mais velha? Irás, certamente, prejudicar teus pobres tornozelos com o peso da tua negligência.

Devo dizer-te, ainda, que envelhecerás com uma rapidez maior se não te dispuseres a deixar fluir a energia reprimida, sem empecilhos.

O açúcar cria essas barreiras; todas as guloseimas criam barreiras, assim como a nicotina. Pelo menos não bebes, mas isso apenas atenua os sintomas.

Se ao menos utilizasses tua intuição nessa área! Ouve primeiro o teu corpo, antes de colocares alguma coisa na boca. Guia-te pelo sim e pelo não que ouvires. É possível que fiques vacilante, mas procura pender para o lado da tua alimentação. É simples. Entremos num acordo segundo o qual uma indicação vertical do ponteiro indica boa qualidade de alimentação e que a horizontal uma alimentação inadequada. Deves praticar isso com mais freqüência. Algumas vezes, o que ontem era negativo pode tornar-se positivo no dia seguinte.

Ocupa-te um pouco mais do conhecimentos das ervas. (Existe a erva-de-santa-maria!)

Sim, o jovem renascido (!!) tem uma boa noção. Gostaria que tivesses ao menos um pouco dessa noção. Gostaria, mesmo, que utilizásseis mais das ervas medicinais, posto que não precisaríeis mais da química. Passei sete anos estudando as variedades e a eficácia de determinadas plantas e ervas. Também estudei o poder curativo das cores. Esquecestes de tudo isso.

Ainda há de chegar o tempo em que tudo terá que ser revisto, pois nada mais tereis como recurso.

(Infelizmente, ele não permitiu mais perguntas a respeito do tema. Contudo, acho que ele se referia a uma época de muitos videntes e profetas: a época da grande catástrofe, que é iminente nesse milênio.)

Quando leio, hoje, as mensagens de Lukas, elas me parecem mais pertinentes que antes. É claro que suas informações incrementaram sobremaneira o meu conhecimento que, devo reconhecer, era diminuto.

Quando ligamos as informações umas às outras chegamos a um ponto que é de grande importância.

Lukas, por exemplo, evitou a palavra "esporte". Ele insistiu no "condicionamento físico". Uma vez, quando conversei com ele a respeito de *jogging*, ele deixou bem claro que isso era uma bobagem e que já observava essa prática há muito tempo. Na verdade, ele estava se referindo aos exercícios aeróbicos. Na medida em que ocorre uma lesão qualquer, tudo começa a se alterar, de maneira que uma nova lesão deve ser evitada. Graças a Deus, esse tema serviu como solução para um problema geral, posto que havia muito poucas informações sobre o assunto.

Aprendi com Lukas (infelizmente, só no começo do ano passado), que podemos interromper um resfriado inalando salmoura e com os pés imersos em água salgada até os joelhos, ao mesmo tempo. Com relação à alimentação, somente os chás de ervas mencionadas; nada de alimentação pesada. "Toma cápsulas de vitaminas", disse ele asperamente a alguns, "assim também alimentas o adversário."

Aprendi com ele a respirar de forma correta, bem como a importância do ritmo correto da respiração. Não vou mencionar as indicações, posto que elas se encontram num livro sobre esse tema, do terapeuta Johannes Walter.*

Resumindo, foi-me dito que a doença se manifesta:

a) através da influência da energia de pensamentos negativos sobre as células espirituais e físicas;

b) através do bloqucio do fluxo de energia pelos sete chakras e

c) através de interferência no processo de retorno cármico.

Pensei que um dos pontos mais importantes seria o pensamento positivo. Se os pensamentos negativos geram doenças, então os pensamentos positivos geram saúde. Assim pensei: povo da Terra, pensamento positivo!

---

* Johannes Walter, *Die heilende Kraft des Atmens*, Munique, 1988.

Os Abusos e a Necessidade do Pensamento Positivo

Imagina que cada palavra cria um som e que cada frase cria uma melodia, que permanecem latentes e perceptíveis à audição de qualquer pessoa.

Falais sobre o pensamento positivo com muita freqüência e acreditais que, ao praticá-lo, podeis imaginar a vida "mais bela". Isso está errado. Se, por exemplo, odeias alguém, deves vivenciar e compreender o motivo desse ódio, em primeiro lugar, a fim de que percebas que não faz sentido assumir esse comportamento. Antes, porém, deves reconhecer tal conduta para que possas aprimorá-la através da tua capacidade de compreensão e de compaixão. A dissolução completa do ódio só acontece através do amor, o qual destrói até o sentimento negativo mais profundo.

Quando invejas a sorte ou o sucesso de outra pessoa, deves compreender o motivo que te levou a agir assim, pois a inveja é um sentimento ridículo.

A pessoa que sente inveja está demonstrando sua insatisfação com a realização de seus desejos e direitos. Se aprenderes a reconhecer o teu verdadeiro lugar, a cumprir a tua missão, estarás mais madura para te despojares da inveja, para admirar as pessoas e participar da coletividade.

O sentimento negativo, mesmo o pior tipo de inveja, se dissolve completamente quando predomina o amor.

Não reprimas teus sentimentos negativos; ao contrário, deves vivenciá-los plenamente, pois só assim aprenderás a lidar com eles. Se reprimires esses sentimentos, eles te tornarão agressiva, e essa agressividade se voltará contra ti.

Deves continuar a desenvolver tua inteligência de forma positiva, detectando a origem dos pensamentos negativos e resolvendo-os de forma gradual, exatamente como exige o processo de amadurecimento. Encarnaste com esse objetivo, isto é, aprender a lidar com esses sentimentos. Se os reprimires, estarás agindo contra ti mesma.

Afasta-te das pessoas que procuram te conquistar aparentando nobreza e bondade e que parecem conhecer tudo. No momento em que precisares de sua ajuda, elas se mostrarão como os teus opositores mais rancorosos e opressores, pois sempre colocarão em primeiro plano a execução daquilo que julgam como seus direitos e prioridades. Entre os pobres, estes são os miseráveis.

Fostes colocados todos juntos, no planeta Terra, para que aprendêsseis uns com os outros. Ninguém deve se sentir superior a ninguém, ninguém pode agir como juiz do seu semelhante. Se fôsseis perfeitos, não teria sido necessário que encarnásseis na Terra.

Teu cérebro é um complexo capaz de emitir e de receber energia. Teu pensamento é capaz de criar imagens tão poderosas que pode até materializá-las.

Por esse motivo é preciso todo o cuidado ao empregar as energias do pensamento. Se idealizares para ti um destino que sobrecarregue a tua missão, a imagem materializada se voltará contra ti e terás de prestar contas pela tua arrogância.

(Isso me lembra a história do homem que ganhou na loteria e ficou milionário, da noite para o dia. Ele comentava, muito empolgado, como estava feliz por ter resolvido seus problemas financeiros. Alguns meses depois, o mesmo homem não tinha mais nenhum centavo e estava com dívidas "até o pescoço". Bem antes do fato ocorrido, o coitado dissera que tinha

certeza de que iria acertar os números da loteria. É claro que esse tipo de mentalização só se concretiza quando é praticada constantemente. O sucesso só poderá ser alcançado se existir um motivo justo para a sua realização no destino da pessoa. Nesse caso que citei, a concretização daquilo que fora idealizado só ocorreu para que o homem se confrontasse com a realidade do seu destino, que era promover o seu amadurecimento através das limitações que a vida lhe impunha.)

Toma cuidado com as tuas ambições e com os teus desejos. Aprende a escutar a tua voz interior.

Aprende sobretudo a valorizar o sentimento humano e as circunstâncias da vida. Refiro-me à intuição, que é um sentimento genuíno.

Lembras-te do que pensaste quando viste N.N. pela primeira vez? (Ele citou o nome de um homem que tinha desempenhado um papel importante na minha vida.) Saberias me dizer, agora, a impressão que tiveste logo nos primeiros minutos?

(Talvez...)

Ora!

Lembras, também, quais foram teus sentimentos quando tiveste que mudar de residência várias vezes? Quantas coisas terias evitado se tivesses te deixado guiar pelas tuas primeiras impressões! Isso, porém, também está ligado ao fato de não confiares muito na tua conduta.

Teria sido uma boa ocasião para pensares de forma positiva!! Uma boa forma de pensamento positivo seria te concentrares carinhosamente nos teus protetores e guardiães espirituais de maneira espontânea, e não se deixar levar pela bobagem das belas cenas dos filmes de cinema, que deturpam a compreensão de um plano de vida.

(Como posso saber que imagens ou que tipo de imaginação é o mais adequado?)

Não é possível que tenhas essa dúvida! Quantas vezes já falamos sobre o valor da astrologia e da sua aplicação? Já aprendeste a interpretar um cosmograma. Portanto, estás plenamente apta a reconhecer quais são as chances que os astros te proporcionam e quais estão ao teu alcance!

(Suponhamos que eu consiga saber quais são as minhas possibilidades. Como posso concretizar uma imaginação que seja ideal?)

Concentra-te naquilo que desejas. Imagina-te no início da história que imaginaste e deixa que ela flua, até chegar um ponto em que exista uma dificuldade. Observa bem esse ponto e tenta aperfeiçoá-lo de forma adequada, para que a situação idealizada, se ocorrer, que seja de forma correta. Repete a imaginação tantas vezes quantas forem necessárias, até perceberes que ela já é adequada "nos mínimos detalhes" e, então, deixa que ela amadureça e se renove a cada dia. Perceberás que tua vida se orientará no sentido de te aproximar cada vez mais da realização dessas imagens.

Nunca desejes nada precipitadamente. Reflete, antes, sobre o que seria realmente importante e útil para ti.

(Lembrei-me da fábula sobre um homem que acreditava que iria para o céu quando morresse e que lá serviriam a ele suas comidas preferidas, como recompensa pelo seu bom comportamento. Não demorou muito tempo para que ele ficasse entediado e para que constatasse que o inferno tem várias faces.)

Não deves começar a temer a tua imaginação. Deves apenas tomar cuidado para que as coisas se realizem com bondade pela força da imaginação. Que posição ocupa o teu semelhante na tua imaginação? Ou somente tu desempenhas um papel importante nela?

O pensamento positivo deve ser o desenvolvimento de uma capacidade de reflexão amorosa sobre todas as pessoas e situações triviais.

Se desejas ser amada, não te imagines, de antemão, na situação ideal em que és amada, mas, antes, lança o teu amor à pessoa em questão. Se o teu objetivo é alcançar o sucesso, não te imagines no auge da fama, mas pensa em quanta alegria podes transmitir aos outros através das tuas atividades.

Isso é pensamento positivo: aspirar à felicidade e ao amor, a fim de poder distribuí-los ao teu próximo.

Pois é, foi isso. Pensamento positivo: uma forma de amor ao próximo. Nesse sentido, provavelmente também é a chave para o paraíso e para a paz.

Quanta exigência para o nosso pensamento do dia-a-dia! Tenho a impressão de que somos muito pouco conscientes do quanto estamos ligados pela nossa origem, pela nossa determinação, pelos nossos pensamentos, palavras e atitudes.

Quem tem a consciência exata daquilo que está dividindo com uma outra pessoa que esteja no mesmo recinto? Que aquela outra pessoa, por exemplo, respira o mesmo ar que tenho nos meus pulmões e vice-versa?

Se o outro dá e recebe, como eu, até onde vai a minha responsabilidade por ele com relação à intensidade da minha dedicação a ele? Ou seria exatamente essa divisão compulsória que nos torna tão indiferentes aos sentimentos e expectativas do próximo?

O próximo! Como estamos acostumados a considerar nosso próximo somente aqueles que vivem perto de nós e a quem amamos! Existem outras pessoas que precisam da nossa dedicação, dos nossos bons pensamentos e da nossa ajuda. Quem se preocupa em transmitir pensamentos de luz e amor ao vagabundo que fica nas ruas e que incomoda todo mundo? Por mais amargo que lhes possa parecer, é precisamente isso o que está implícito na mensagem acima. O pensamento positivo é uma atitude social. Ou, pelo menos, deveria ser.

Podemos, então, nos desfazer de todos aqueles livros cujo texto procura nos convencer de que o pensamento positivo deve ser usado somente para obter vantagens e para nos proporcionar uma vida mais agradável. São formas de pensar muito comuns à mentalidade da nossa época, mas que não têm a menor relação com a profunda interconexão dos fatos.

Apesar de praticar uma imaginação positiva e de defender essa postura, fico cada vez mais convencida de que bastam dez minutos diários para uma pessoa observar atentamente uma bela gravura, vibrar na mesma freqüência de uma música, descansar à luz de velas, deixando emergir de si apenas o sentimento do amor e transmiti-lo a tudo e a todos.

Se você está aberto ao amor...vamos modificar um pouco essa frase para que o seu significado se torne mais claro: quando você está disposto a amar, está em meio a uma corrente de força que permite que você consiga tudo o que deseja.

Esse "estar disposto a amar" é um conceito muito sutil e difícil de compreender, principalmente quando estamos passando por uma fase de estafa, em que tudo parece nos aborrecer. Por isso mesmo é que essa disposição é muito importante.

A prática diária é a solução. Se você consegue perceber como o ambiente influencia você, e se está disposto a se dedicar a esse amor global, não deve fazer outra coisa senão praticar.

Esse treino é a forma mais efetiva do pensamento positivo. Se você conseguir perseverar, presenciará verdadeiros milagres.

Além disso, você se tornará cada vez mais forte, mais independente, e não deixará que nenhuma influência externa, nem as pessoas, dominem você. Você poderá ajudar mais as pessoas na medida em que levar em consideração a si próprio. Se por algum motivo precisar de ajuda, vai obtê-la facilmente, pois terá consciência de que está envolvido num ciclo de amor e de ajuda, em cuja corrente você é um elo bastante resistente. Além disso, você estará num contato mais próximo com seus Espíritos Protetores e com seus companheiros invisíveis. Quanto mais elevada se tornar a sua vibração, menor se tornará o prazer daqueles cuja companhia você já havia descartado.

No meu último livro discorri muito sobre entidades espirituais, mas ainda disponho de algum material sobre as origens e as missões dessas entidades que podem ser do seu interesse. Ei-lo a seguir.

Anjos e Espíritos Protetores: Quem São e Como Agem

Sim, toda pessoa tem seu Anjo da Guarda, pois sem ele não poderia encarnar. Seria como uma criança órfã.

Alguns desses espíritos protetores já encarnaram várias vezes na Terra; outros precisam aprender através de ti o que significa encarnar e como isso acontece. Contudo, as entidades espirituais que se dispuserem a te conduzir são acompanhantes experientes. Não serves de cobaia para os Anjos.

Existe uma variedade muito grande de entidades. Bem sabes que a Terra está dividida nos reinos mineral, vegetal, animal e humano. O que não sabes é que cada um desses reinos tem os seus espíritos protetores. O que também não sabes é que o planeta Terra é povoado por entidades que o protegem, tanto no seu interior como na atmosfera, e que são responsáveis pela sua preservação.

(São aqueles que conhecemos por elfos, demônios e gnomos?)

Não podes imaginar quantos existem! Falas muito de Anjos da Guarda. Conta aos homens sobre os guardiães da verdade, da justiça, da honra e do conhecimento.

(Eu não sei nada sobre isso. Como possa falar a esse respeito?)

Logicamente, sabes que existe entre os Anjos uma ordem hierárquica. Os Anjos que estão mais próximos da entidade de Cristo ocupam a posição mais elevada nesse sistema e, também, dispõem de livre-arbítrio, o que lhes permite decidir sobre o lugar onde gostariam de atuar.

Aquele que conseguir chegar ao ponto de se aproximar da Divindade irá sempre se orientar no sentido de atuar sob o comando direto da Divindade. Isso ocorre como uma força de bênção, pois esses anjos tentam disseminar a vibração OM no pensamento dos homens e nas suas orações. Agindo assim, eles elevam a energia global das pessoas, assim como a energia espiritual de cada um. É importante que os homens saibam da existência desses Anjos, pois a conscientização do convívio entre Anjos e homens aumenta as possibilidades de uma mediação produtiva por parte daqueles.

(O que você entende por "mediação"?)

Com certeza, já ouviste muito a respeito da palavra e do som. Cada pensamento tem um som, se assim o preferes. A oração tem um som muito especial. As entidades espirituais mais elevadas podem captar a vibração desses sons, fortalecê-los, apurá-los e devolvê-los mais enriquecidos.

(Isso me lembra uma lavanderia. Uma lavanderia espiritual, quero dizer.)

A comparação é falha, posto que as roupas ficam limpas, mas não ficam melhores. Quando rezas, disseminas um tipo de energia do pensamento que é captada pelos Anjos e que retorna a ti com sua estrutura energética bastante aperfeiçoada.

A troca de pensamentos e de energia com essas entidades pode ser tão elevada a ponto de ser considerada uma bênção. Quando a intensidade dos pensamentos atinge a da vibração de um cristal, portanto de qualidade elevada, pode transmitir sua energia ao círculo iluminado de Cristo e, assim, contribuir para o Seu fortalecimento.

(Eu não sabia que a energia de Cristo precisava da nossa!)

Tu provéns dessa energia e estás ligada a ela direta e indiretamente. Tens a obrigação, portanto, de colaborar para o seu fortalecimento. Esse é o caminho! Conheces todas as qualidades divinas. Quanto mais consciente da tua origem te tornares, mais provável será que dissemines a energia de Cristo com teus pensamentos dotados de uma energia cada vez mais elevada.

Reflete sobre a frase: "Em qualquer lugar onde estiverem aqueles reunidos em Meu Nome, Eu estarei entre eles." A energia gerada pelo pensamento pode assumir dimensões incríveis quando várias pessoas estão reunidas. A intenção original da Sagrada Missa era a de fortalecer e proteger os homens através do pensamento coletivo elevado.

(Mas ainda se celebram Missas, hoje em dia.)

As missas a que te referes são apenas um fragmento do procedimento original. A começar pelo fato de que ninguém pode entrar ou sair do recinto enquanto estiver sendo celebrada a missa, porque isso interrompe o círculo de energia que é gerado a partir de uma tal reunião.

Parece-me que nenhum de vós sabeis que, num recinto onde se faz a invocação de uma energia de tal porte, não se pode entrar com roupas comuns. É um lugar sagrado.

Mesmo quando o círculo se desfaz é impossível, por exemplo, que um grupo de turistas penetre nessa vibração permanente, podendo modificá-la e até mesmo destruí-la. Tratais vossos lugares sagrados irrefletidamente. Mas não tenho a intenção de fazer censuras. Como poderíeis saber desses fatos, se seguis uma orientação que desconhece seus fundamentos e não os valoriza?!

(Como podemos ver, até no Além nossas organizações eclesiásticas gozam de popularidade.)

A palavra "organização" já explica tudo. Deus não precisa de organizações. Ele precisa de pessoas que reflitam o seu amor. Para esse fim, os Anjos atuam como seus auxiliares, universal e individualmente. Os anjos realizam os desejos de Deus, vivem os desejos de Deus; por isso não precisam de uma individualidade.

Os elementos do Fogo, da Terra, da Água e do Ar têm suas próprias entidades, que agem no sentido de manter o equilíbrio elementar. Tais entidades encontram-se unidas tanto entre si como a uma existência superior.

Sei que a ti interessam, principalmente, os Anjos que estão ligados aos homens e a seus respectivos destinos.

Em primeiro lugar, é importante saber que os Anjos podem se deslocar e permanecer em todas as dimensões sem, contudo, exercer as influências que conheces.

O Anjo que atingiu a categoria de protetor está num nível bem superior ao de uma entidade que precisa reencarnar. Até que um Anjo protetor tenha amadurecido o suficiente para aceitar a responsabilidade de acompanhar uma pessoa, ele irá prestar sua ajuda cuidando das almas humanas que ainda não se desenvolveram muito, desempenhando, nesse caso, o papel de um Espírito Protetor pessoal.

A partir do momento em que ele se torna o Espírito Protetor de uma só pessoa, ele irá acompanhá-la desde o momento da encarnação até o instante da morte. Alguns deles aparecem aos seus protegidos, mesmo estando no Além, mas esta não é a regra. O Anjo é semelhante àquele que está sob a sua proteção e cuja atitude ele pode influenciar. Ele mesmo escolhe o seu protegido acompanhando-o, às vezes, ao longo de muitas vidas.

(Ele orienta o seu protegido antes do nascimento?)

Não; para essa atividade existem Anjos específicos, que se ocupam apenas da preparação de uma alma para a encarnação.

(Os Anjos da guarda pessoais trabalham em conjunto com esses outros Anjos?)

Sim, pois dessa forma o Anjo da Guarda também poderá preparar-se. Ele trabalha principalmente com os Anjos conhecidos como Guardiães do Carma. Sabes que no registro akáshico tudo está registrado, como num filme. Tuas vidas anteriores também estão contidas ali, assim como todas as tuas realizações, boas e ruins. Tua missão é elaborada antes de encarnares, tomando-se como base tuas vidas anteriores e contando com a tua cooperação.

Durante esse processo, que pode durar muitos anos, aquele que será seu futuro Anjo da Guarda não participa ativamente. O teu Anjo da Guarda só vem para o teu lado quando és entregues ao Anjo do Nascimento para prover-te da energia necessária para suportar a mudança. Teu Anjo da Guarda te acompanha sempre, oculto no limiar do esquecimento, que é o ponto onde te entregas a ele.

Quando chega o momento da tua morte, ele te devolve ao Anjo da Morte, que trabalha de forma semelhante ao Anjo do Nascimento, diferindo, porém, no uso das energias. Enquanto um cuida de criar um corpo físico, o outro age no sentido de que esse corpo se desfaça lentamente.

(Já que estamos quase terminando, eu gostaria de perguntar: A pessoa deve ser cremada depois da morte?)

O corpo humano vem da terra e a ela há de retornar, assim como a alma humana regressa à sua morada. Não permitas que cremem o teu corpo. A morte pelo fogo tem um significado particular e, da mesma forma, uma conseqüência específica, e a autorização para isso só se justifica a partir de um destino preestabelecido. Se decidiste que teu corpo deverá ser consumido pelos guardiães do fogo, teu destino seguirá esse caminho. Caso contrário, teu corpo físico deverá ser recolhido pelas energias do reino terrestre. Esse processo é muito importante para a tua alma, posto que o desligamento não ocorre de forma tão rápida como imaginas.

(Quantos Anjos da Guarda uma pessoa tem, de fato?)

Antes deves diferenciar o que são Espíritos Protetores e entidades que se sentem atraídas por ti e que, voluntariamente, se dispõem a assumir a tua proteção. Só tens um Anjo da Guarda; porém, existem protetores que te ajudarão de acordo com a expansão e o grau de amadurecimento exigidos pela tua missão. Esse grupo é, normalmente, acessível a ti durante toda a vida. Existem situações extraordinárias que permitem uma mudança.

(Assim como aconteceu comigo, certa vez?)

Contigo não ocorreu uma mudança de Anjo da Guarda nem do teu grupo protetor mas, sim, a entidade que era responsável por um determinado estágio da tua evolução não se viu mais em condições de te dar assistência no tempo previsto e devido. Quando essa entidade percebeu a impossibilidade de continuar o seu trabalho, por causa da mudança, ela negou-se a continuar sua atividade, pois presumiu que não agüentarias a mudança.

(Mas quem mudou? Por que ocorreu a mudança?)

Quando tua vida foi projetada, acreditava-se que atingirias o auge de tua preparação aos 35 anos de idade. Quando completaste 30 anos, ficou bem claro que essa pretensão estava fadada ao fracasso.

(E eu fui consultada?)

É evidente! Tu consentiste. Foram necessárias muitas conversas, e bem longas, para estabelecer a tua missão atual; além disso, foi necessário consultar novamente o Guardião do Carma, pois a mudança deveria ocorrer no plano do Akasha.

(Esse tipo de mudança é comum?)

Não. Acontece que não tínhamos escolha.

(Podemos pedir esse tipo de mudança se a julgarmos indispensável?)

É exatamente o que fazeis, continuamente, durante as orações.

(Sim, mas é bem diferente ao considerarmos toda uma missão!)

É verdade.

(Então....?)

Não podes, simplesmente, fazer uma mudança fundamental. Trata-se do que desejas saber e não do que podes pedir.

(Qual era o objetivo da mudança? Qual deveria ser o resultado?)

Deverias conhecer melhor os abismos da tua personalidade, para que ninguém pudesse te atingir na fase definitiva da tua vida.

(E quando é a fase definitiva da vida?)

É o sétimo período de sete anos (portanto, dos 42 aos 49 anos).

(Isso é válido para todo mundo?)

Sim, no que diz respeito à evolução espiritual. Esse é o tempo necessário para que o teu grupo protetor e teu Anjo da Guarda avaliem todo o trabalho realizado. Dirias que é o momento em que se colocam as cartas na mesa.

(O que acontece se a gente, ou melhor, se eu me recusar? Vocês teriam que modificar alguma coisa?)

Não! Essa mudança foi uma demonstração de misericórdia, assim como foi uma chance. Tua missão retomou o curso original a partir de um determinado ponto. Agora tudo depende de você.

O mais importante é que tomes como exemplo aquelas pessoas que já se justificaram perante seus Espíritos Protetores, que não te aborreças e sejas grata. Sempre.

(Então o poder do Anjo da Guarda e dos Espíritos Protetores é maior do que eu pensava!)

É mais adequado dizer "influência". Sim, ela pode ser bem intensa. Entretanto eles sempre atendem aos desejos mais elevados.

Quando recebi essa última mensagem fiquei bastante perturbada, mas, por outro lado, fiquei muito grata e impressionada.

Espero ter conseguido pelo menos proporcionar ao leitor uma explicação melhor sobre o destino de cada pessoa. Sempre nos perguntamos: Por que logo eu?!

O destino, como disse muito bem Thorwald Dethlefsen, é uma oportunidade. Além disso, é uma graça divina. Só não conseguimos percebê-lo como tal enquanto o estamos vivendo.

Por isso, é muito importante deixar bem claro que o aprendizado é feito num estágio superior, bem acima do plano da mágoa. É inadequado, portanto, estabelecer uma relação entre sorte e infortúnio, e considerar tais processos como intervenções superiores hostis. É mais valioso compreender aos poucos o significado desse contato mais próximo com os nossos protetores. Não podemos ajudar ninguém sem ter a certeza de que estamos sendo protegidos por entidades superiores que nos fornecem amparo, consolo e proteção.

Uma vez minha mãe me perguntou: "Você acredita mesmo nessas coisas que você conta sobre os Anjos?" Respondi: "Eu tenho certeza, e sem essa certeza eu não conseguiria mais viver."

Fico pensando como as pessoas podem viver sem essa certeza. A não ser que haja a possibilidade de existirem supercérebros que trabalhem conjuntamente com essas entidades mais elevadas. Essas entidades fornecem um tipo de energia que estimula sobremaneira as funções cerebrais. Depende de nós utilizar ou não essa energia.

Atingimos um grau de evolução em que temos condições de trabalhar com esse tipo de energia e de, realmente, transformá-la.

Os primeiros sinais disso já são bem evidentes em todo o mundo. Acho que eu não sou a única a saber. Graças a Deus!

Os Animais: Nossos Companheiros e Nossos Mestres

Não vou apresentar aqui nenhuma mensagem, pelo menos da maneira como as tenho apresentado até agora. Aliás, não era minha intenção escrever sobre animais e reconheço que ainda não consegui me aprofundar no assunto. Para ser franca, o meu interesse por animais era voltado somente para aqueles que guardassem minha casa ou, ainda, da forma como foram citados por Konrad Lorenz.

Comecei a me interessar por experiências com animais por influência de uma vizinha e fiquei repugnada pelo assunto, sem o menor ânimo para continuar qualquer atividade relacionada com esse assunto pavoroso.

Por isso mesmo é que me espantei com o que aconteceu comigo e, como de costume, inesperadamente.

Fui assistir a uma palestra feita durante uma exposição esotérica em Baden-Baden e ouvi — com enfado, devo admitir — a leitura de apresentação feita por uma senhora. Por fim, ela pediu aos ouvintes que lhe fizessem perguntas. As explicações sobre carma e encarnação foram aquelas bastante comuns, que foram respondidas de forma igualmente comum.

Foi quando tudo aconteceu. Um dos presentes perguntou quando um animal teria atingido na sua evolução um estágio que permitisse a ele reencarnar como ser humano. Não sei se vocês conseguirão me entender se eu disser que comecei a ouvir um vozerio na minha cabeça.

Quase não consegui ouvir a resposta da palestrista, sugerindo que um animal seria merecedor de uma encarnação humana depois que atingisse um certo grau de amadurecimento.

"Poderias te levantar e parar com essa baboseira, por favor?" Essa voz soou claramente nos meus ouvidos.

"Mas a palestra não é minha", eu disse, "e não pretendo me expor como uma pessoa mais esclarecida. O que está acontecendo?"

"Está ouvindo um discurso sobre um assunto que conheces muito bem e, portanto, sabes que a maneira como está sendo feita a exposição está completamente errada, e não tomas nenhuma atitude!"

"Não tenho certeza..." disse, "ainda não consegui entender esse assunto muito bem."

"É o cúmulo que uma pessoa com a tua formação tente se livrar da situação com esse tipo de desculpa! Existem 51 pessoas reunidas aqui buscando algum tipo de orientação e qualquer informação errada que elas recebam será por tua culpa!!"

"Um momento!" — eu disse — "ninguém pode me responsabilizar pelo que está sendo dito aqui!!"

"És responsável por toda informação incorreta quando sabes onde está o erro e não o corriges."

Levantei-me e fui embora.

À noite, no meu quarto do hotel, sentei-me, peguei o lápis e disse: "Então...?"

No começo não ouvi nada, mas, depois de um tempo, comecei a ouvir algumas vozes, todas se manifestando ao mesmo tempo. Diziam mais ou menos "Não, tu..., faze-o então, quem está dizendo...? Então se fez silêncio e só uma voz se manifestou claramente:

Boa noite. Desculpe-nos por termos falado todos ao mesmo tempo hoje à tarde, mas era muito importante corrigir o erro no momento e no lugar em que estava ocorrendo.

Escuta: os animais se diferenciam dos homens, sobretudo pelo fato de não possuírem alma individual; ao contrário, perten-

cem a um grupo espiritual. É por isso que um cachorro comporta-se exatamente da mesma forma na Austrália e no México, ou mesmo na Escandinávia. Um cavalo japonês pode ser adestrado da mesma forma que um cavalo canadense, assim como uma vaca neozelandesa pasta em solo alemão da mesma forma que na sua terra de origem.

Os animais também reencarnam, mas sempre nos seus grupos animais respectivos. É claro que a consciência deles evolui ao longo da sua estada nesse planeta e a forma de seus corpos está relacionada com esses estágios de evolução da consciência. Essa consciência, porém, permanece no nível do instinto, e é muito inferior à do homem.

(Mas existem animais domésticos que se comportam de maneira bastante individual.)

Todos os animais, principalmente aqueles predestinados a serem animais domésticos, podem conviver com o ser humano, especialmente o cachorro e o gato. Sua permanência onde a energia humana é predominante pode desenvolver no animal um certo tipo de comportamento que muitas vezes é confundido com "individualidade". Este é apenas um aspecto do seu adestramento. Todo animal doméstico quer agradar ao seu dono e continuará agindo assim na medida em que a reação do dono for positiva.

(Mas também existem animais que são extremamente hostis e traiçoeiros.)

Tudo o que existe na Terra está sujeito às suas próprias leis. Isso está relacionado com o princípio da polaridade. O padrão emocional dos animais vai desde a agressão até a depressão. O animal evoluirá cada vez mais, quanto maior for sua compreensão, sua disposição e seu aprendizado.

(É verdade que os animais são mais sensíveis que os homens?)

É uma sensibilidade considerada num sentido mais amplo, pois o cérebro dos animais não são dotados de intelecto e, ainda, porque sua existência está intimamente ligada à existência do seu grupo e de seus protetores. Contudo, seus órgãos do sentido não são tão pouco desenvolvidos como acreditais. Pensa na acuidade auditiva de um cachorro ou na expressão facial de uma águia. Vê, por exemplo, como o olfato humano é inferior?

(Quem são os protetores dos animais?)

São entidades que contribuirão, posteriormente, para a proteção dos homens.

(Do ponto de vista físico, o homem descende do animal. Então a ligação entre os homens e os animais não deveria ser mais íntima?)

O homem não descende do animal. Foi utilizado um material próprio na confecção da imagem espiritual do homem, desenvolvido em bases específicas para a sua geração.

(Como surgiram essas imagens espirituais humanas?)

A partir da capacidade de representação, isto é, da força criadora das entidades superiores.

(Por que essas imagens, criadas à semelhança de Deus, precisam converter-se em matéria?)

O aprimoramento da criação afastou-se da Luz de tal forma que somente através do retorno à matéria foi possível retomar o caminho da pureza original. Percebes que tua origem e a de teus semelhantes é completamente diferente da origem dos animais?

(Quer dizer que o ciclo de reencarnações dos animais não tem fim? Isto é, eles sempre retornarão como animais?)

Claro que não. Durante sua vida como animais eles se preparam para um nível de existência superior.

(Que forma eles terão?)

Serão semelhantes aos homens.

(Mas como?!)

É isso mesmo, só que não estarão no planeta Terra, nem com a pureza que conheces. Os animais têm uma origem diferente e outro processo de desenvolvimento.

(De onde eles vêm?)

Eles vêm do planeta Terra e de suas vibrações energéticas. Eles se originam do plano da criação terrestre.

(E nós?)

O processo não é o mesmo. Sois hóspedes desse planeta que utilizais como escola, como local de aprendizado. Os animais são os verdadeiros habitantes da Terra, assim como vossos minerais e vossas plantas.

(Ah, é por isso que às vezes somos rudes com eles...)

Rudes? Para nós tal conduta é um sacrilégio. Reflete sobre a frase: "Aquilo que fizeres ao mais fraco de meus irmãos, fizeste-o a mim." Lembra-te do mandamento: "Não matarás!" O animal é um ser vivo, assim como tu; tem um corpo que, como o teu, foi criado a partir da mesma substância. O animal deve te servir de companheiro e não de alimento. As células animais vibram numa freqüência muito inferior à das células humanas. Quando comes carnes, ingeres todo esse tipo de vibrações.

(Isso é válido para todos os animais?)

A princípio, poderíeis considerar a possibilidade de consumir a carne de animais que habitam as águas e o ar, cujas vibrações são mais puras que a dos animais terrestres.

(Mas também já existiram canibais...?)

Foram criaturas subdesenvolvidas e não-espiritualizadas. Um ser humano que mata o seu semelhante para saciar a fome está no mesmo nível que um animal.

(O senhor disse que os animais encarnam em outros planetas. Esses planetas pertencem ao nosso sistema solar?)

Existe um planeta do vosso sistema solar que é utilizado preferencialmente para a primeira encarnação humana de um animal. Entretanto, esse processo de desenvolvimento também pode ocorrer em outro sistema diferente.

(Os abusos cometidos contra os animais e contra a natureza podem se voltar contra o homem?)

Podem. O animal quando é maltratado reage com medo e agressivamente. A agressão e os maus tratos a milhares de animais potencializa essa qualidade de energia, a qual retorna a vós na forma de miséria e destruição. A Terra reage da mesma forma quando é devastada.

(Qual é o pior tipo de devastação que se pode fazer na Terra?)

Interferir no seu equilíbrio.

(E como ocorre essa interferência?)

Quando se realizam as experiências nucleares, tanto na atmosfera como no subsolo. Todos os que estão envolvidos nesse tipo de experiências são assassinos. Até a poluição do ar é um crime contra o qual a Terra e a Natureza hão de reagir. Cuidado!

(Você fala como se já fosse tarde demais!)

Eu não vejo mais saída. Haveis de notar que vossas entidades protetoras estão cada vez menos motivadas a continuar o seu trabalho. Tendes recebido sinais cada vez mais freqüentes. Sois chamados à atenção continuamente, porém não reagis. Não creio que os terremotos sejam criados pela Terra. Eles foram provocados unicamente em decorrência das experiências nucleares. Estais pervertendo todo o equilíbrio do cosmos. Essa é a falta mais grave cometida contra o amor ao próximo. Contribuís, assim, para vossa própria destruição.

(O que eu posso fazer? Vocês não poderiam dar um tipo de advertência que todos pudessem compreender?)

O que quereis mais?? Vosso ar está cada vez pior, vossas doenças estão cada vez mais graves. Tudo está impregnado de radioatividade; as estações do ano estão se modificando e, logo, essa mutação irá atingir o ser humano. Apesar disso tudo, vossos líderes ainda mantêm em prática seus programas de destruição.

(O que devemos fazer?)

Tentai vos defender. Por que elegeis sempre as mesmas pessoas para vossos líderes? Vossa culpa consiste exatamente em não vos defender! Tendes medo do confronto! Sois comodistas! Sois tão culpados e impiedosos como aqueles que escolheis como vossos líderes!

(Acontece que não podemos forçar ninguém a se tornar consciente da situação!)

Não! Mas podemos exigir das pessoas mais esclarecidas que transmitam seus conhecimentos aos outros, em vez de ficarem confortavelmente instaladas em suas casas. Isso é demonstrar amor ao próximo. É muito bom e até louvável que cultiveis o pensamento do amor e que mediteis sobre ele, mas isso é apenas uma preparação; é o fortalecimento necessário para a obra que deveis realizar num âmbito geral. Nada conseguireis modificar somente com a meditação. "Levanta-te e luta", como se lê na Bíblia. Levantai-vos e lutais, portanto! Uni-vos uns aos outros, assumi a responsabilidade, afinal. Tomai alguma atitude, ou quereis que ocorra a mesma desgraça de há 10 mil anos?

(Sua indignação é bastante veemente! Quem é o senhor?)

Eu simplesmente SOU!

Eu sou! Era alguém com quem eu nunca tinha conversado antes e, pelo que eu pude notar, ele não se manifestaria mais. De vez em quando eu ouvia alguma coisa dele, sentia a presença, mas, desde então, nunca mais recebi uma mensagem clara. Prefiro não citar o nome dele. Digo apenas que ele é um Mestre Superior. Ainda tenho muita esperança de poder entrar em contato com ele, pelo menos mais uma vez. Quem iria pensar em receber um desafio desse porte num quarto de hotel em Baden-Baden?

Quando voltei para casa, pesquisei algumas notas publicadas em 1932 na América, e constatei a existência do mesmo tipo de insatisfação com os resultados do desenvolvimento que hoje enfrentamos de maneira amplificada.

Essas notas são secretas e acessíveis somente a uma congregação formada com base nos ensinamentos desse mestre. Acho que está chegando a hora de tornar público o conhecimento dessas notas. Para reforçar o que eu disse, tomo como indicação a mensagem anterior: a de que já estamos no momento em que os membros competentes dessa congregação se apresentem ao público.

Eu acredito no "acaso". Ele se incumbirá de que a pessoa certa leia este livro. Essa pessoa saberá a quem se refere esse "Eu sou". Espero que essas pessoas reajam de alguma maneira.

Acho difícil acreditar que eu tenha sido a única pessoa a receber esse tipo de desafio. Eu gostaria de perguntar: onde estão os outros?

Meu consolo é que ainda existem lugares como o sul da Inglaterra e a Califórnia — apesar de serem distantes — pois nesses lugares está ocorrendo a quintessência do desenvolvimento espiritual. Fico muito contente com isso. Eu ficaria um pouco mais feliz se os professores dessas comunidades dessem um pouquinho mais de atenção à Alemanha. Como pode existir um trabalho coletivo e internacional se as pessoas buscam apenas o aperfeiçoamento individual? Já não se pode mais usar a desculpa de que o "tempo é o melhor remédio".

Nem mesmo o idioma pode servir como fator de impedimento. Chris Griscom já conseguiu provar isso e ela não deve ser a única capaz de continuar o seu trabalho. Nesse aspecto, a

América é bem diferente da Alemanha. As pessoas que detêm um conhecimento mais vasto preferem ficar em casa, protegidas nos seus cubículos, pois temem expor-se às torturantes viagens de conferências e às discussões.

Além disso, quando uma dessas pessoas se digna proferir uma palestra, tenho sempre a sensação estranha que, se fizermos uma gravação dessa palestra vamos verificar, ouvindo a fita, que se procurou evitar qualquer tipo de debate com os ouvintes. Eu sei que isso é extenuante, mas faz parte da missão. Quando se abre espaço para as perguntas, acontece algo semelhante: a centésima pergunta vai ter exatamente a mesma resposta que foi dada à primeira.

Como foi dito antes, esta é uma das maneiras de se demonstrar amor ao próximo.

Refleti muito sobre o que foi dito naquela mensagem relativa ao fato de que as entidades estão cada vez menos motivadas. Não quero exagerar, mas esse foi o aviso mais ameaçador que eu já recebi.

Se considerarmos que nossos Anjos da guarda são semelhantes a nós e que se orientam a partir de nós, isso significa que aqueles que estavam num estágio de evolução mais avançado, incumbidos de ensinar, de despertar as pessoas, de corrigi-las e orientá-las, simplesmente se resignaram a cumprir essa missão.

Será que o fim é tão iminente e inexorável que impeça as únicas pessoas capazes de modificar o curso dos acontecimentos, somente por conformismo?

É chegada a hora, mas ainda podemos parar o pêndulo antes que o relógio dê a última badalada. Temos de agir dessa forma, pois de nada adianta ficarmos inertes dizendo que talvez fosse melhor que acontecesse uma catástrofe, já que os danos são, mesmo, irreparáveis. Nem alegar que seria necessário um outro tipo de material humano diferente daquele de que dispomos agora.

Meu Deus, eu sei que alguns espíritos estão encarnando neste exato momento. Vocês acham que isso acontece para que nós possamos ficar em casa e nos desculpar pelo fato de que o "material humano" atual não merece ser salvo? Existem aqueles que dedicam toda a sua força e amor no sentido de evitar o desequilíbrio completo do nosso planeta e, por decorrência, de todo o sistema solar.

Estou me referindo aos nossos irmãos e irmãs do espaço, aos habitantes de outras galáxias, que estão profundamente preocupados com a nossa evolução.

Nossos Protetores do Espaço

Fico cada vez mais irritada com a ignorância e a presunção das pessoas que negam veementemente a existência de OVNIS (Objetos Voadores Não Identificados). Elas agem assim não por desconhecerem o assunto, mas, geralmente, porque têm medo de perder sua credibilidade perante as pessoas, se tornarem públicas as suas experiências. As informações que obtive de membros da C.I.A. (serviço secreto norte-americano) é que o material de que eles dispõem sobre esse assunto é tão vasto que poderíamos cobrir vários quilômetros de uma rodovia se colocássemos uma pasta ao lado da outra. Quando perguntei por que essas informações nunca haviam se tornado de conhecimento do público, recebi a resposta de sempre: Não queremos assustar as pessoas.

Não sei quantas pessoas já viram OVNIS ou fizeram algum tipo de contato com seus tripulantes. Quando essas pessoas resolvem contar suas experiências são tão ridicularizadas pelos ignorantes e supostos "donos da verdade" (qual verdade?) que nem sequer pensarão em contar sua história novamente. O mesmo acontece quando se consegue um documento fotográfico. Ele vai ser interpretado como uma montagem e, novamente, escondido nos arquivos do esquecimento.

Foi o que aconteceu com um material fotográfico excelente sobre OVNIS feito por Billy Eduard Meier, que registrara o pouso de uma nave num prado, pouco distante de sua fazenda em Schmidrüti, na Suíça. Billy não é um fotógrafo muito talentoso, nem o tipo de pessoa que pensaria em ganhar dinheiro com a publicação de suas fotos. Entretanto, foi tão atacado e difamado por causa de suas fotos que esse assunto rendeu muito. Em 1988, uma revista muito bem conceituada publicou um artigo que chamava a atenção pelo seu título: "Existe vida no espaço", em que jornalistas bem informados afirmavam que os OVNIS que apareciam nas fotos de Billy Meier não passavam de miniaturas penduradas por barbantes e distribuídas ao longo do terreno.

Ainda bem que Billy parece ser insensível a esse tipo de agressão. Ele *precisa* ser assim.

Conheço o material que ele obteve. Consiste de *slides*, gravações e fotografias coloridas, com alguns arranhões e manchas feitas por patas de gato e pés de criança (ele uma vez esqueceu as fotos no chão da cozinha). É bastante significativo o "fanatismo" com que esse homem e seus colaboradores lutam por uma publicação desse material.

Se Billy tivesse, realmente, pendurado os seus OVNIS com barbante, ele estaria até hoje procurando os lugares mais bonitos da floresta suíça para pendurar tais miniaturas. Nesse caso, ele precisaria, antes de mais nada, ser especialista em truques fotográficos. Um dia, enquanto um dos "OVNIS de Billy" se divertia no céu, um caça da Força Aérea suíça detectou a sua presença e registrou a sua perseguição. As fotografias, tiradas a cada segundo, revelavam a irritação do piloto, que não sabia como lidar com aquele tipo de energia no meio da qual se encontrava, deslocando-se de sua rota constantemente.

Foi uma demonstração notável de reflexo conseguir desviar de todas aquelas miniaturas penduradas no céu! Brincadeiras à parte, retomemos o assunto, pois ele é sério.

Não pretendo prolongar o assunto sobre Billy Meier e suas experiências com OVNIS, nem sobre as conclusões desse piloto. Eu gostaria de falar sobre minha experiência pessoal.

Não! Não é preciso ficar com medo: eu nunca vi um OVNI. Minha experiência foi diferente. Ela é tão importante que vou contar a vocês, mesmo que isso comprometa a minha saúde espiritual.

Nunca tive uma opinião muito precisa no que diz respeito a OVNIS. Por um lado, eu achava que tudo não passava de um processo de alucinação coletiva, mas, por outro lado, eu tinha absoluta certeza de que esse tipo de coisa realmente existia.

Em 1988, assisti a uma palestra proferida por um dos colaboradores de Billy Meier. Os *slides* então exibidos eu achei muito mais que impressionantes. Contudo, o que realmente me impressionou foi o fato de que os modelos de OVNIS e seus tripulantes não me impressionaram nem um pouco; pelo contrário, eles me pareceram até um tanto antiquados. Numa sessão posterior, o palestrista disse — para meu espanto — que os modelos que haviam sido exibidos eram os mais antigos. Bem no fundo, eu tinha a sensação de já ter visto tudo aquilo, só que bem mais de perto.

Foi entre o Natal e o início de janeiro de 1987. Eu estava sentada no meu velho sofá, assistindo televisão. As pessoas que já tiveram a oportunidade de fazer algum tipo de contato mental vão me entender bem quando eu contar o que aconteceu.

De repente, comecei a sentir uma tontura e um tipo de agitação na sala onde eu estava, o que é uma situação típica de elevação do nível de energia num ambiente antes de um contato ou de uma mensagem. Minha intenção era a de trabalhar um pouco menos nesse dia, mas fui até a mesa, peguei minha prancheta e coloquei o meu pêndulo de cristal sobre ela. O pêndulo oscilou com tanta velocidade e sincronismo que até fiquei assustada. O texto que apresento a seguir foi redigido utilizando as mesmas palavras do diálogo:

Boa noite. Meu nome é Upasu.

(Ahá, pensei, finalmente alguma coisa nova. Pelo menos é alguém que tem uma energia pura e expressiva. Eu disse: Boa noite, Upasu, você vem de qual dimensão?)

Estou 4.000 milhas acima de você, na nossa base.

(Um momento! pensei. Que base? Desde quando os espíritos vivem em bases? Resolvi perguntar com um certo cuidado, a gente nunca sabe...: A que tipo de base você se refere?)

Refiro-me a uma das nossas bases espaciais.

(Minha razão aconselhou-me a dizer "não, muito obrigada", mas eu continuei a perguntar: Como é essa base espacial?)

É uma estação com mais ou menos 24 quilômetros de extensão.

(Deixei meu pêndulo de lado, disposta a enfrentar qualquer coisa. Se ele é um espírito brincalhão — pensei — eu tenho conhecimento suficiente para descobrir, ou, então, estou numa situação completamente nova para mim, isto é, entrando em contato com um extraterrestre. Essa me pareceu a melhor explicação. Tomei coragem e perguntei: Você tem sobrenome?)

Sim, meu nome completo é Upasu Arasatha, filho de Atarsatha.

(De onde você vem?)

Venho das Plêiades. * Eu sou o Tagurer de Sorxerma. Tenho uma esposa e o nome dela é Adaga.*

(O que você faz nessa estação espacial e quem mais está com você?)

Eu sou o comandante e tenho um co-piloto, uma mulher que se chama Mubasa. Essa estação é como uma colônia equipada com tudo aquilo de que precisamos para a nossa subsistência. A estação também é uma expressão da nossa expansão espiritual, assim como é um monumento e serve de advertência aos inimigos.

(Por que nossos radares não conseguem captar vocês? Acho que eles alcançam 4.000 milhas, não?)

Normalmente sim, mas nossa estação é protegida por um escudo cuja consistência é um fluxo constante de hiperenergia.

(Ai, meus conhecimentos de física...!! Ter de ouvir tudo de novo e não conseguir entender nada! Como atua essa hiperenergia?)

Imagine uma hélice girando a toda velocidade. O que você consegue ver?

(Nada.)

---

* Grupo de sete estrelas situadas no norte celeste, na constelação de Touro.

É assim que age a hiperenergia. Ela acelera a movimentação das partículas de tal forma que é impossível à visão humana discernir o contorno da matéria, mesmo utilizando qualquer tipo de instrumento que vocês conhecem.

(Se ele é um espírito brincalhão, está se comportando de forma extremamente austera — pensei. Continuei a conversa: Que língua vocês falam? Como se diz, por exemplo...bom dia, na sua língua?)

Falamos uma língua que você certamente não conhece, mas que já foi falada na Terra quando tínhamos lá nossas colônias. Isso foi há milhares de anos. Bom dia, nós dizemos "Elado", que corresponde mais ou menos ao seu "Bem-vindo". Até logo, em nosso idioma é "Tomu bel". Não lhe parece familiar?

(Sim, concordei e fiquei analisando a vibração dessas palavras que, realmente, não eram estranhas para mim. Por que vocês entraram em contato comigo?)

Porque eu vou estar aí com você em dez minutos. Deite-se no sofá.

Achei que isso já era um pouco demais. Pensei, então: qual o problema de surgir um habitante das Plêiades perto da minha árvore de Natal? Por que não? Fui até o quarto e peguei um cobertor para me proteger do frio, caso se formasse alguma neblina, e me deitei no sofá aguardando ansiosamente a chegada anunciada anteriormente. Nossa! Um habitante das Plêiades na minha modesta casa!

Fiquei deitada e os minutos foram passando, cinco, dez minutos, meia hora, mais outros minutos... Penny, disse comigo mesma, você foi ludibriada de novo. Plêiades? Há, há, há!!

Eu estava dobrando o cobertor para levá-lo de volta ao quarto, quando tudo aconteceu.

Meu coração disparou, minha visão ficou turva, mas subitamente consegui enxergar tudo. Eu estava totalmente consciente. Levantei-me do sofá e fiquei olhando, deslumbrada, aquilo em que a minha sala havia se transformado. Minhas plantas pareciam feitas de vidro puro, cheias de espirais e tubos, que vibravam e pulsavam e tinham uma cor que eu nunca vira antes. Di-

rigi-me à mesinha que fica ao lado do sofá e passei através *dela. A única sensação que tive ao atravessá-la foi a de um calor agradável. Fui até minha estante inglesa e passei a mão* através *dos livros. Tive a mesma sensação agradável de calor. Virei-me e fui em direção às plantas; eu já estava dentro delas, em meio a uma sinfonia de cores, de calor e de sons quase silenciosos. Foi simplesmente indescritível! Dirigi-me à janela e, no instante em que ia tentar atravessar a porta da varanda, fui tomada de um medo que me tirou o fôlego. Fui atirada de volta ao sofá como se tivesse sito lançada por uma catapulta. Meu coração começou a retomar seu batimento normal e em pouco tempo minha visão começou a se restabelecer. Durante dez minutos transpirei muito e respirei intensamente. Só então a situação se normalizou.*

Corri até a mesa e coloquei o pêndulo sobre mim.

(O que havia acontecido?)

Foi uma transmissão mental de energia humana. Está relacionada com a hiperenergia.

Minha primeira atitude foi a de pegar o telefone e ligar para um psicólogo amigo meu.

"Olha", ele disse, "seria bem mais fácil de explicar o que aconteceu se você tivesse usado LSD." Eu não tinha nem aspirina em casa. A única coisa que sei a respeito de drogas é dos comentários que ouvi sobre o assunto. "Talvez", ele continuou, "pudéssemos explicar o fato de outra maneira se você tivesse sofrido hiperventilação antes de tudo acontecer sem fazer qualquer tipo de preparação, nem de auto-sugestão. (Lembrem-se de que isso começou a acontecer quando eu começava a dobrar o cobertor; portanto, não houve nenhuma hipnose.) Não sei explicar o que houve."

Em seguida, liguei para um filólogo especializado em línguas arcaicas e mencionei os nomes e as palavras que eu tinha ouvido.

"Não, não conheço a origem dessas palavras", ele disse, "o que eu posso afirmar é que elas se parecem muito com uma língua primitiva da região do Mediterrâneo."

Não consegui dormir direito por quatro dias e as minhas regras atrasaram seis dias, o que nunca havia acontecido antes.

Consegui entrar em contato com Upasu outras vezes, mas não passei mais por essa experiência de transmissão de energia.

A parte mais importante desses contatos foram as mensagens de Upasu e Mubasa. Vou tentar proceder como nos diálogos com os Espíritos Protetores, ou seja, evitar as perguntas e respostas e fazer um resumo do que foi dito. Ocorreram cinco contatos, sendo que duas conversas que tivemos foram as mais longas e detalhadas:

Receba os nossos cumprimentos.

Nós só conseguimos entrar em contato com você porque você é capaz de sintonizar a freqüência correta para permitir a manifestação das nossas energias mentais.

Não faz sentido você querer transmitir sua experiência e o seu conhecimento às pessoas que não estão preparadas e não são capazes de receber o tipo de mensagem que estamos enviando. É preciso ter um grau de maturidade elevado e uma memória bem desenvolvida para alcançar essa dimensão, pois muitas pessoas encarnadas na Terra são provenientes de outro sistema solar.

Nesse sistema existem doze planetas. O planeta em que vocês vivem foi o penúltimo a ser criado. Esse planeta não é o único a ser habitado. O que acontece é que as formas de vida existentes nos outros planetas se adaptaram às condições existentes em cada planeta e a percepção humana não consegue distinguir essas formas.

Nós, habitantes das Plêiades, temos um corpo bem semelhante ao de vocês. Fomos submetidos ao mesmo processo da criação; por isso é que a nossa forma física é parecida com a do corpo humano. Nossa fauna e flora também são bastante semelhantes.

Estamos alguns milhares de anos mais evoluídos que vocês. Poderíamos ajudar vocês, e muito, mas agindo assim estaríamos interferindo no processo natural de amadurecimento e evolução pelo qual vocês têm de passar. Assim, nos limitamos a ajudá-los anonimamente. Temos nos esforçado bastante no sentido de dar força a vocês para que possam recuperar o seu equilíbrio.

Vocês não conseguiriam sobreviver por muito tempo sob os efeitos da radioatividade se não recebessem ajuda externa.

Não, nós não somos os únicos que ajudamos vocês.

Os outros planetas são mais evoluídos que o de vocês, e alguns até mais que o nosso. Alguns desses povos enviam o que vocês chamam de OVNIS para recolher material da Terra a fim de que se possa verificar a que ponto chegou o processo de destruição irrefletida e egoísta que vocês praticam. Eles recolhem terra, água, plantas e até material celular humano para exame.

As histórias sobre "raptos" são verdadeiras. Foram necessárias para a obtenção do material de pesquisa: tecido cutâneo e medular.

Através disso, sabemos que a decomposição celular decorrente da exposição à radioatividade é muito maior do que vocês imaginam. O sistema imunológico de vocês está cada vez mais instável. Por isso têm surgido tantas doenças desconhecidas.

Tendo em vista que vocês continuam a lidar desordenadamente com a hiperenergia, devemos dizer que isso representa uma ruptura do equilíbrio energético do espaço; por isso enviamos os OVNIS com o único objetivo de fornecer algum tipo de material que possa servir de ajuda. É por isso que, depois das visitas que fazemos à Terra, ocorre um longo período de tranqüilidade para vocês.

Existem três pontos de apoio na Terra para os quais sempre nos dirigimos em determinadas épocas. O primeiro deles fica na Rússia, o segundo na Suiça e o terceiro na América do Sul.

Vocês só conseguem ver os OVNIS se o escudo de proteção, que os envolve como uma esfera for retirado. Só assim eles podem ser fotografados.

Ajudamos vocês porque vivemos segundo a Lei do amor ao próximo, e a praticamos. Muitos dos encontros que acontecem entre nós e os humanos não foram levados ao conhecimento do público, pois considerou-se mais prudente agir dessa maneira.

Essa atitude foi tomada em consideração às pessos envolvidas e no que diz respeito à maturidade daqueles que os cercam. Ainda mantemos contato com algumas dessas pessoas, assim como fazemos com você, mas também de uma outra forma mais elaborada. Refiro-me à transmissão telepática.

Muitas dessas pessoas com quem mantemos contato são oriundas das Plêiades e encarnaram na Terra para que pudessem servir de contato direto conosco. Pode-se dizer que elas são os nossos agentes. Muitas dessas pessoas conhecem a sua origem e outras têm apenas uma leve impressão a respeito de onde vieram e se sentem motivadas, por essa sensação, a se unirem àqueles que "conhecem" a sua origem. Dessa forma, vão se criando grupos.

Sim, esses grupos, num sentido mais amplo, estão relacionados com os grupos espirituais dos quais você recebeu ensinamentos. Eles se formaram instintivamente. Sua hierarquia é semelhante àquela do âmbito espiritual, como você descreveu a mim.

São grupos que trabalham em silêncio e não tentam forçar ninguém a aderir aos seus princípios. Eles não se apresentam aos humanos como extraterrestres desejosos de estabelecer contato; pelo contrário, enviam sinais específicos que podem ser captados e empregados pelas pessoas cuja maturidade tenha atingido um certo grau de desenvolvimento e que se sentem dispostas a fazê-lo.

Você mesma já recebeu esses sinais várias vezes, mas não demonstrou nenhuma reação. Fique bem atenta, principalmente aos sinais que vêm de Zurique e de Viena.

A captação dos sinais da "União do Amor" é limitada àqueles que estão dispostos a colaborar de forma madura e que realmente podem ajudar o semelhante. Uma vez que o colaborador atua de forma voluntária e sem pensar apenas em si, é preciso somente compreender a necessidade de realizar sua tarefa. Não, isso nada tem que ver com as seitas. Nós rejeitamos qualquer tipo de organização religiosa. Isso é tudo obra do homem e não traz benefício nenhum.

É importante compreender o significado dessa missão e nunca se afastar dela durante a vida. Muitos já entenderam isso, mas ainda existem pessoas que precisam compreender o sentido real dessa tarefa. Essas pessoas precisam da ajuda dos nossos "agentes". Antes, porém, precisam concordar com a necessidade dessa ajuda, pois esta nunca lhes será imposta. Por isso, também, não faz o menor sentido tentar convencer a opinião pública, a todo custo, da existência dos OVNIS. As pessoas certas já adquiriram esse conhecimento há muito tempo.

(Existem forças interessadas na destruição da Terra?)

Existem forças interessadas em dominar todo o sistema solar. Trata-se de uma disputa pelo poder, cuja dimensão você nem pode imaginar. Vocês estão à mercê desses inimigos exatamente pelo fato de a Terra ser o ponto mais vulnerável do sistema solar.

Mesmo nesse caso estamos preparados para ajudar, pois vocês não conseguiriam se defender sozinhos da força desses inimigos.

Eles não usam bombas nucleares, mas substâncias que destroem o cérebro e as células do corpo. O planeta vai ser usado por causa do equilíbrio do sistema. É por isso que essas forças desejam preservar o planeta ao mesmo tempo em que querem se livrar de seus habitantes. Mas não tenham medo. A proteção que vocês têm é muito forte.

É muito importante que vocês se mantenham no rumo certo. Se enfraquecerem, ninguém poderá ajudá-los, pois vocês não terão mais capacidade de reagir, isto é, de sobreviver. Vocês devem refletir bastante e perceber que são os criadores da sua própria destruição.

(Ouvi falar a respeito do chefe de uma frota espacial chamado Ashtar. Ele existe mesmo ou é invenção das pessoas?)

Não é invenção. Ashtar é o comandante de uma frota espacial cuja base está localizada no sistema da Alfa-Centauro. Nós mantemos uma relação científica e econômica com os habitantes desse sistema. Infelizmente, algumas forças que agem em grupos utilizam o nome de Ashtar para tentar fazer contato com extraterrestres.

(Como podemos diferenciar o verdadeiro Ashtar do falso?)

Para o iniciado, a maneira mais fácil de identificar o mentor do discurso é pela qualidade da sua mensagem. Ashtar está em contato com as leis superiores. Aqueles que abusam do seu nome não sabem o que estão fazendo.

Se vocês conseguissem diminuir um pouco a sua avidez pelo poder, conseguiriam reunir todos os grupos para um contato; poderiam trocar informações e comparar suas declarações.

As práticas pouco lúcidas nesse setor são não só infantis como demonstram imaturidade, além do que são extremamente perigosas, pois os inimigos podem tentar impor suas idéias destrutivas aos membros de grupos que não sabem o que estão fazendo.

Quando um desses inimigos consegue dominar um cérebro humano, ele pode utilizar esse centro de energia para a realização de seus desejos, como bem entender. Por esse motivo, seria extremamente importante orientar os grupos que estabelecem seus contatos no que diz respeito a determinados princípios. Muitos se deixam usar e não têm a menor idéia acerca da energia a que estão servindo e da culpa que lhes cabe pela sua "boa vontade".

É muito importante informar aos homens que todo aquele que se dedica a orientar outras pessoas sem ter o preparo e o amadurecimento suficientes terá de responder por essa transgressão. O contato com entidades invisíveis só pode ser feito sob a orientação de um mestre ou de pessoas espiritualizadas e puras. Caso contrário, uma pessoa leiga poderá servir como catalisadora de energias negativas e, sem saber, disseminá-las ao seu redor, causando doenças e desgraça.

Além disso, é preciso fazer com que os homens parem de se reunir em torno de seitas e organizações religiosas. Toda seita tem um chefe que, sendo imperfeito, abusa do seu poder de chefe por supor que detém a força. Não existe, atualmente, nenhum mestre que, como Cristo, possa congregar pessoas em torno de si. Toda pessoa que se alia a uma seita restringe a sua liberdade de pensamento e limita o seu livre-arbítrio. Vocês devem viver a lei do amor e da vontade divina, livres e independentes. Isso pode ser alcançado através da ajuda mútua e da troca de experiências. Mas não criem organizações, pois elas se fundamentam no poder e, do poder, surge o fanatismo que é o pior inimigo do livre-arbítrio e do amor.

(Vocês não têm religião?)

Religião significa organização. Vivemos a lei do cosmos. Cada um por si e pela comunidade.

(Vocês têm leis?)

Naturalmente. Toda comunidade precisa de regras que sejam respeitadas por todos e que lhes sejam úteis. Toda falta será punida.

(Existe pena de morte entre vocês?)

Não. Só as pessoas que conseguem viver podem aprender o que a vida significa. Quando vocês entrarem na Era de Aquário, não haverá mais pena de morte. A Era de Aquário trará uma elevação do campo vibracional de todo o seu planeta. Essa vibração elevada também se faz sentir entre nós, habitantes deste outro planeta. As pessoas que não procurarem evoluir espiritualmente segundo as leis superiores, assim como Jesus o fez, não poderão viver nem conseguirão encarnar nessa vibração superior. A era de Aquário proporciona o prolongamento de uma evolução coletiva. Todas as pessoas que, por comodismo, se esquivaram dessa evolução e de suas exigências, estarão buscando sua própria destruição.

(Como será essa destruição?)

Essas pessoas não conseguirão superar certos acontecimentos que são iminentes no planeta. A qualidade do seu pensamento é o que torna o homem mais resistente a certas influências; a resistência física é apenas uma aparência.

Todos os que conhecem esse assunto têm o dever de esclarecer e orientar o seu semelhante, com amor e serenidade. Não pergunte como nós somos nem o que fazemos. Cumpra o seu dever com o seu semelhante.

Nós amamos vocês.

Não posso dizer que essas declarações me tranqüilizaram, nem que me deixaram feliz. Parece que em todo o sistema solar todos sabem da profunda mudança que está para acontecer no nosso planeta. Só nós é que não sabemos disso.

Li em vários livros e ouvi de vários médiuns que a catástrofe no nosso planeta é iminente. Ao que parece, isso vai acontecer a partir da ruptura da calota polar, ou provocado pelo impacto de um meteoro gigantesco com a Terra.

Pessoalmente, eu não acredito em mudanças desse porte. Acho que essas modificações, como disse o habitante das Plêiades, vão ocorrer numa outra dimensão mas que, nem por isso, será menos rigorosa nem causará menos impacto.

Tenho a certeza de que, enquanto nossos líderes políticos não resolverem parar com a estupidez das experiências atômicas, estamos fadados a uma catástrofe, inexoravelmente. Só que para se tornarem líderes eles precisam do nosso apoio.

Precisamos nos reunir, não em organizações, mas em torno de um ideal comum, que é o de impedir o abuso da energia nuclear. Todos os que têm filhos ou que vão ter filhos serão culpados por tê-los gerado, porquanto se negaram a lutar contra o abuso da energia nuclear, assim como serão responsáveis pelos danos causados à Terra que lhes serve de morada.

Por fim, eu gostaria de dizer que espero ter despertado em você o desejo de manter uma conversação amigável com o seu Espírito Protetor. Assim, ao reconhecer que essas entidades são os intermediários de energias superiores, é preciso deixar bem claro que estamos tratando aqui do bem-estar comum e não de como superar nossos problemas pessoais.

Não se trata de atingir uma expansão da consciência pessoal mas, sobretudo, de disseminar o conceito de Consciência na comunidade. E por comunidade não entendo só o nosso semelhante, mas também a Natureza e tudo o que existe à nossa volta. A era de Aquário também exige de nós o desenvolvimento de uma conscientização ecológica mais sutil.

Também não temos muito tempo para ficar discursando sobre a transcendência do *EU* na consciência do grupo.

Se não conseguirmos compreender a enormidade do nosso sistema, podemos ao menos imaginar a sua grandeza. Devemos ter sempre em mente a realização da nossa missão e a consecução das tarefas que assumimos ao nascer. Tudo isso está contido nos Dez Mandamentos e resumido, claramente, na frase: "Ama o Teu Próximo."

Já abordei esse tema no meu último livro, mas eu gostaria de retomá-lo para finalizar este trabalho (e para reforçar o conceito): O pior subterfúgio e a desculpa mais execrável que pode existir é a do tipo "O que eu posso fazer, na minha reles insignificância? Sou apenas um grão de areia na praia..." Existiram muitos grãos de areia na nossa história que modificaram todo um sistema. Quanto mais os grãos se juntam, maior se torna a área coberta por eles.

Essa união só é útil quando o objetivo a ser cumprido é bem claro.

Quem conseguiu entender que todo tipo de inteligência inferior se alimenta de nossos sentimentos negativos e destrutivos já deve ter a sua resposta no coração.

Repito a frase para que ela não se desvaneça e para que sirva como encerramento deste livro, cuja intenção foi o pensamento:

"Não tenha medo: ame!"

Leitura Recomendada

Dethlefsen, Thorwald: *Krankheit als Weg*, Munique 1983. *A Doença como Caminho. Uma Visão nova da Cura como Ponto de Mutação em que um Mal se Deixa Transformar em Bem*, Ed. Cultrix, São Paulo, 1992.

Ferguson, Marilyn: "Geist und Evolution", Munique 1981.

Halpern, Steven: *Klang als heilende Kraft*, Freiburg 1985.

Kollmann, Albert: *Einführung in die Genetik*, Frankfurt/M. 1984.

Lermer, Stephan: *Krebs und Psyche*, Munique 1982.

Steiner, Rudolf: *Aus der Akasha-Chronik*, Dornach 1985.

Sterneder, Hans: *Tierkreisgeheimnis und Menschenleben*, Freiburg 1983.

Wendt, Viktor K.: *Polarität*, Basiléia 1986.

Outras obras da autora:

CONTATOS COM O ANJO DA GUARDA

NOSSOS GUIAS ESPIRITUAIS

Outras obras de interesse:

MEDITANDO COM OS ANJOS
Sônia Café e *Neide Innecco*

ANJOS – Mensageiros da Luz
Terry Lynn Taylor

A VOZ SILENCIOSA
White Eagle

A MENTE SILENCIOSA
White Eagle

O LIVRO DO ÊXITO
Diversos

O CAMINHO DO GUERREIRO PACÍFICO
Dan Millman

O DESPERTAR DA CONSCIÊNCIA MÍSTICA
Joel S. Goldsmith

A UNIÃO CONSCIENTE COM DEUS
Joel S. Goldsmith

AS PALAVRAS DO MESTRE
Joel S. Goldsmith

O HOMEM QUE TOCOU OS SEGREDOS DO UNIVERSO
Glenn Clark

HEI DE VENCER
Arthur Riedel

O YOGA ESPIRITUAL DE SÃO FRANCISCO DE ASSIS
François Chenique

AS VARIEDADES DA EXPERIÊNCIA RELIGIOSA
William James

RENOVANDO TODAS AS COISAS
Henri J.M. Nouwen

A PRECE DE TODAS AS COISAS
Pierre Charles, S.J.

NOITE FELIZ – Reflexões sobre o Natal
Thubten Yeshe

OS ESSÊNIOS
Christian D. Ginsburg

CRISTO – O Avatar do Amor
Haroutiun Saraydarian

O SUBCONSCIENTE, FONTE DE ENERGIA
Erhard F. Freitag

PONTE DE LUZ – Instruções Práticas para a Transformação Espiritual
LaUna Huffines

Peça catálogo gratuito à
EDITORA PENSAMENTO
Rua Dr. Mário Vicente, 374 – Fone: 272-1399
04270 – São Paulo, SP